Michael Naumann

Amerika liegt in Kalifornien

Wo Reagans Macht herkommt

SPIEGEL-BUCH

Umschlagentwurf SPIEGEL-Titelgrafik
Foto Hans-Peter Dimke
Veröffentlicht im Rowohlt Taschenbuchverlag GmbH,
Reinbek bei Hamburg, November 1983
Copyright © 1983 by SPIEGEL-Verlag
Rudolf Augstein GmbH & Co., KG, Hamburg
Satz Times, Utesch Satztechnik GmbH, Hamburg
Gesamtherstellung Clausen & Bosse, Leck
Printed in Germany
ISBN 3 499 33043 1

Inhalt

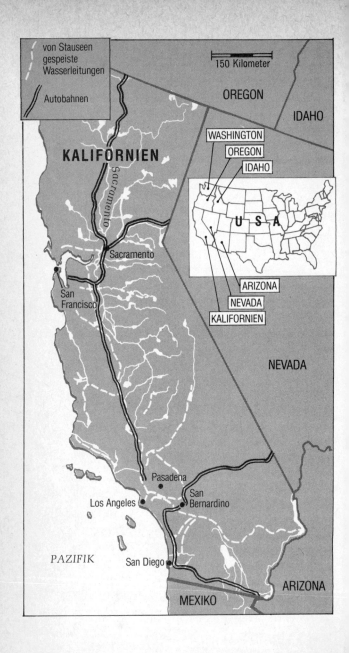

von Stauseen
gespeiste
Wasserleitungen

Autobahnen

150 Kilometer

KALIFORNIEN

OREGON

IDAHO

WASHINGTON
OREGON
IDAHO

USA

Sacramento

San
Francisco

ARIZONA
NEVADA
KALIFORNIEN

NEVADA

Pasadena
San
Bernardino

Los Angeles

PAZIFIK

San Diego

ARIZONA

MEXIKO

1
«Und endlich kommt das Neue»

Eine Nation zieht um

Amerika liegt in Kalifornien. Die mächtigste Nation der Welt hat ihr Kraftzentrum an den Pazifik verlagert. «Den Menschen an der müden Ostküste können wir sagen: Das kalifornische System funktioniert.» Das fand vor Jahren schon ein TV-Conférencier der amerikanischer Konzerne General Electric und Borax, bevor er kalifornischer Gouverneur im ländlichen Sacramento und schließlich Präsident der Vereinigten Staaten wurde – Ronald Reagan.

Grenzenlos ist heute das Selbstvertrauen von 24 Millionen Kaliforniern. «Auf unserer Seite ist die Zivilisation», sagte der 1980 gewählte US-Präsident bereits vor zwei Jahrzehnten, «und auf der anderen Seite herrscht das Gesetz des Dschungels.»

Kalifornien ist die Weltachse und das neue Herz Amerikas. Reagan: «Wir tragen die Verantwortung, 6000 Jahre Kultur gegen die Barbarei zu verteidigen.» Kalifornier stehen heute in Washington an vorderster Front, lauter sonnengebräunte Lichtgestalten im Kampf gegen die kommunistischen Kräfte der Finsternis.

Die Rüstungsfabriken am Pazifik feierten mit Reagans Dienstantritt im Weißen Haus den Einstieg in einen «Superboom», so ein Sprecher der Wells Fargo Bank in San Francisco. Bis 1987 gedenkt die Reagan-Regierung 1,9 Billionen Dollar für Militär und Rüstung auszugeben. 1982 blieben von dieser Summe 19,6 Milliarden Dollar in Kalifornien hängen (zusätzlich zwei Milliarden Dollar für Weltraumfahrt-Projekte) – das waren 21 Prozent aller US-Verteidigungsaufträge. Reagans millenarische Aufrüstung versorgt

50 Prozent der Kalifornier des Südens, dem Industriezentrum, direkt oder indirekt mit Arbeit und Einkommen.

«Das Nachkriegskalifornien», glaubt der Historiker Wesley Marx, «ist vor allem ein Geschöpf der nationalen Sicherheitsindustrie. Ein Gemisch von Verteidigungs- und Raumfahrtkontrakten sichert das Fortkommen eines ausgedehnten Luft- und Raumfahrt-Establishments, und diese Elite dominiert Industrie, Arbeitsplatzpolitik und Universitätsforschung.» Nun sitzt sie auch in Washington.

Die kalifornische Einflußliste reicht dort bis ins dritte Verwaltungsglied. Anders als Richard Nixon, dessen engere Büro-Elite ebenfalls zumeist aus Kalifornien stammte (Ausnahme etwa: Henry Kissinger), der aber auf das östliche Führungsreservoir zurückgriff, hat Ronald Reagan bei seinem Amtsantritt reinen Tisch im Weißen Haus gemacht. Selbst Sekretärinnen wurden aus Kalifornien eingeflogen. Sein praller Bürolibero aus der Gouverneurszeit in Sacramento, Edwin Meese; der Sicherheitsberater im Weißen Haus, William Clark; der ehemalige südkalifornische Barpianist Michael Deaver; der amerikanische Chefpropagandist Charles Z. Wick, von Haus aus fideler Musikarrangeur und steinreicher Filmproduzent; und schließlich des Präsidenten fabelhaftes Küchenkabinett, lauter greise Öl-, Auto- und Gummi-Millionäre aus dem lauen Los Angeles: Sie bilden das machtvolle Ensemble der Kalifornisierung Amerikas.

«Ronald Reagan vertritt den Optimismus des Westens», erklärt einer seiner ersten PR-Berater, Peter Hannaford, die kalifornische Tendenzwende. «In ihm verkörpert sich ein großer Umschwung in der nationalen Stimmung. Mit all diesen Schuldgefühlen muß es aufhören. Wir sollten uns unserer Macht und unseres Reichtums nicht mehr schämen. Reagan trägt kein Nesselhemd.»

Der Männerchor seiner guten Stimmung sind die Beach Boys aus Santa Monica. Noch vor wenigen Monaten sang die Pop-Gruppe in einer Privatvorstellung im Weißen Haus das elektrisch verstärkte kalifornische Glaubensbekenntnis der letzten Jahrzehnte: «Good Vibrations», ein Hit von 1966, dem Jahr, da Ronald Reagans politische Karriere ernsthaft begann.

Die Beach Boys spielen auch für Kaliforniens Freizeitkünstler im heißen Wasserbottich – linker Hand der eiskalte Weißwein aus dem Napa-Tal bei San Francisco, rechter Hand der selbstgedrehte Joint aus Mendocino, im Ohr der Sony-Stereosound.

Der US-Staat exportiert zumal mittels Hollywoods TV-Serien ein bizarres, aber ziemlich realistisches Selbstporträt vom wolkenlosen Feiertagsland, vom guten Leben auf dem hierzulande erfundenen Wasserbett. «Das Streben nach Glück», von Thomas Jefferson einst in die Unabhängigkeitserklärung Amerikas als politisches, nicht privates Staatsziel geschrieben, scheint am Pazifik erreicht: Happiness ist ein Surfbrett in Malibu, ein Dünen-Buggy im Tal des Todes, eine Freundin im Ferrari und die glatte Landung des Space Shuttle hinter den Purpurhügeln von Los Angeles.

Ob Wachstums- oder Aussteigergesellschaft, ob Post- oder Metaindustrialismus – Soziologen und Kulturkritiker konnten die modernen Sozialphänomene zuerst im kalifornischen Trendsetter-Staat betrachten. Mit der anhaltenden Völkerwanderung ins sonnige Dienstleistungsland am Pazifik veränderte sich Amerika. Die politischen und ideologischen, die wirtschaftlichen und kulturellen Schwerpunkte der Nation liegen inzwischen jenseits der Rocky Mountains. Ronald Reagan im Weißen Haus der achtziger Jahre ist kein Zufall.

Amerika in Kalifornien: «Und endlich kommt das Neue an, fordert viel, nimmt froh in Besitz / Ein buntes, fleißig Volk; es siedelt und rodet und schaltet und waltet . . . / gewaltige Städte, die jüngsten Erfindungen, Dampfer auf Flüssen, Eisenbahnen . . . / Und Holz und Weizen und Trauben und Gold.» Des großen Poeten Walt Whitman naive, hundertjährige Ode an den frischen kalifornischen Mythos – kein Wort über Zehntausende hingemetzelter Indianer –, sie wird von dem erstaunlichen Staat, theoretische Nummer sieben in der Weltwirtschaftsliga (Bruttosozialprodukt 1982: 370 Milliarden Dollar), täglich fortgeschrieben. Nichts steht still, alles ist Wandel.

Ob in der Bereitstellung neuer Arbeitsplätze, neuer Investitionsgelder oder der Errichtung neuer Wohnhäuser: «Kalifornien», sagt der Nationalökonom Larry J. Kimbell von der staatlichen University of California in Los Angeles, «führt vor Amerika.» Hier ist die Inflationsrate niedriger, und hier wird pro Kopf mehr verdient als in den meisten anderen US-Staaten: 1982 betrug das persönliche Einkommen der Kalifornier 310 Milliarden Dollar, 1984 sollen es 363 Milliarden sein – Schweizer Verhältnisse.

Whitmans Dampfern und Eisenbahnen folgten Computer, Großraumflugzeuge, Düsenjäger, Interkontinentalraketen, der neue B-1B-Bomber, Neutronenwaffen und das Weltraumarsenal des 21. Jahrhunderts: «Kaliforniens Spezialität», sagt Josef Wahed, Vizepräsident der Wells Fargo Bank in San Francisco, «ist der strategische Krieg.» Die zwei Nukleartechnologie-Zentren des Pentagon, Los Alamos und die Lawrence Livermore National Laboratories, sind Festungen im Forschungsbudget der kalifornischen Staatsuniversität. Und statt Gold produziert Kalifornien heute ein Drittel aller weltweit vertriebenen elektronischen Mikroprozessoren, zwei Drittel aller Halbleiter, Bausteine der vierten und fünften Computergeneration.

«Hier gibt's keine Strafen für Managementfehler», glaubt Steven Jobs, Mit-Erfinder des «Apple»-Computers, «hier wird erwartet, daß man experimentiert und riskiert. Fehlschläge sind Lernprozesse.» Investitionskapital ist genug vorhanden. Die zweitgrößte Bank der Welt, die Bank of America, entstand vor fast 80 Jahren als bäuerliche Kreditanstalt des sizilianischen Gemüsehändlers Amadeo Giannini in San Francisco. Heute finanziert die Bank das halbe Silicon Valley, die Computerregion Amerikas, und die Farmer des Landes schulden ihr 1,1 Milliarden Dollar.

Deutlich schneller als im Landesdurchschnitt wuchs das kalifornische Bruttosozialprodukt zwischen 1970 und 1980:

Im Garten Eden richtete sich eine hedonistische Verbrauchergesellschaft ein. «Man nennt uns Materialisten», sagt Ronald Reagan: «Na und?» Seine Generation habe «mehr Opfer als irgend jemand gebracht». Es ist alles redlich verdient.

Die personelle und volkswirtschaftliche, die politische und ideologische Kalifornisierung der Nation durch Ronald Reagan und den Exekutivstab seiner Regierung folgt keinem wahltaktischen Coup. Sie ist vielmehr der demokratische Reflex eines nationalen Wandels. Amerika zieht seit Jahrzehnten um – in den Süden und den Westen: Jetzt ist im «Sunbelt», im Sonnengürtel, die kritische Masse versammelt.

Während die Schwarzen aus den Südstaaten in die vermeintlich liberaleren Industrie-Ballungszentren im Norden und Mittelwesten emigrierten, wanderten die ersten weißen, technisch und naturwissenschaftlich gebildeten Leistungsträger der postindustriellen Gesellschaft in den vierziger Jahren an den Pazifik. Die schwarze, proletarische Reservearmee besorgte auch noch die Aufräumarbeiten in einer warenproduzierenden, industriellen Schlußphase Amerikas. Sie baute Autos in Detroit bis zur Arbeitslosigkeit. Hunderttausende von Weißen aber flohen zum Beispiel aus New York City in den sechziger Jahren, und nicht alle folgten dem Modetrend in das rassenreine Suburbia. Viele treckten weiter nach «Nowhere City», nach Los Angeles.

Das Leben war hier billiger und sonniger. Gleichmäßig schwappt das pazifische Meer an Südkaliforniens sandige Strände. Immergleiche Muster weißverputzter, vorstädtischer Fertigbauhäuser mit a) kurzgeschorenem Rasen, auch in Plastik lieferbar, mit b) türkisblauem Swimming-pool und c) eingebauter Ehescheidung täuschten ein neues Gefühl von «modern» vor: Familie, Bindung, Zuhause – das waren, so stellte sich heraus, lauter Produkte mit Umtauschrecht.

«Der zweite Eisschrank», spottet der Kulturhistoriker William Thompson, «verdrängte die Großmutter»: Es entstand die mobile, kalifornische Kernfamilie, Vater, Mutter,

Auto, Fernseher, aufgehoben in der «ticky-tacky»-Kultur der neuen Metropolen (so der Volkssänger Pete Seeger).

«Der typische Südkalifornier», schrieb ein Kritiker aus dem Norden, «ist ein gut erhaltener zweitüriger Chevrolet.» Heute gibt es in Kalifornien mehr Autos als Führerscheinbesitzer. Noch schneller wäre der Staat womöglich gewachsen, hätten sich die Planer des Verkehrsministeriums in Sacramento (17 000 Angestellte) durchgesetzt: Sie gedachten, Kaliforniens Nabelschnur in den amerikanischen Südosten, die hügelige Autobahn zwischen Las Vegas und Los Angeles, mittels dreier Atombomben-Explosionen zu plätten. Die Beamten scheiterten unter anderem am Atomtest-Stopp-Vertrag.

Isoliert vom Rest des Kontinents, verborgen hinter Gletschern, Bergen, Wüsten und Wäldern, nach Alaska und Texas der flächengrößte US-Staat, mit vierzigmal mehr Menschen als vor 100, viermal mehr als vor 50 Jahren (da waren es knapp sechs Millionen) – das ist die geographisch-statistische Seite eines lieblichen Landes, das seit dem fabelhaften Goldrausch von 1849 an weltweiter Anziehungskraft nicht verliert: 18 Prozent aller Kalifornier sind im Ausland geboren, nur 45 Prozent im Bundesstaat selbst.

In zwei Jahrzehnten könnte Kalifornien Nordamerikas erster Staat mit einer spanisch-amerikanischen Bevölkerungsmehrheit sein: Hier werden, so schätzen Experten, womöglich sieben Millionen Umsiedler und Immigranten zumal aus der Dritten Welt eintreffen – schon jetzt wohnen im Großraum Los Angeles mindestens zwei Millionen Mexikaner, aber auch (und niemand weiß warum) 6000 Eskimos.

Keine amerikanische Metropole expandierte jahrelang so schnell wie San José, die heimliche Hauptstadt des hochtechnologischen Silicon Valley, oder wie das adrette San Diego im Süden, Hafen der mächtigen pazifischen US-Kriegsflotte. «Erst dann wird Kalifornien zu wachsen aufhören», meint der Geographie-Gelehrte Daniel B. Luten, «wenn es so scheußlich wird wie andere Staaten.»

Der Tag ist abzusehen – in einem Land ohne zentrale

Raumplanung, wo jede Dorfgemeinde Carte blanche zur ungebrochenen Zersiedlungspolitik besitzt. Sehnsüchtig starren bereits die Großbauherren von Los Angeles auf naturgeschützte Küstenstreifen nördlich von Santa Monica.

Mit Ronald Reagans Amtsantritt und erneuter Kandidatur wurde so recht offenkundig, daß seit John F. Kennedy kein Präsident der Ostküste mehr gewählt worden ist (Jimmy Carter zählt zum Süden). Heute stellt Kalifornien die meisten Abgeordneten eines Einzelstaates im US-Kongreß – 28 Demokraten, 17 Republikaner. Schon besitzen, ein Novum in der amerikanischen Geschichte, die Staaten des Südens und des Westens die Mehrheit der Stimmen im Bundesparlament.

Es ist Amerikas reichsinterne, geopolitische Machtverschiebung. So, als hätte sich Alma-Ata zur Königin über Moskau aufgeworfen (Alptraum des Politbüros), so usurpiert das versmogte Los Angeles spätestens seit 1968 – Richard Nixon, geboren im Apfelsinenvorort Yorba Linda, wurde zum US-Präsidenten gewählt – die Führungsrolle New Yorks und Washingtons. Es war ein Aufbruch, den Europas Medien und Politiker wohl übersehen haben, nicht aber das wache Business-Establishment Amerikas: Multis jeder Art, Banken und Versicherungen verstellen heute die ehedem provinziellen Innenstädte von Los Angeles und San Francisco mit immer größeren, immer kälteren Vertikalpalästen. Zumal die hügelige Silhouette von San Francisco wurde in nur zehn Jahren ruiniert – bis zum nächsten Erdbeben. Es sei, so sagen Experten, überfällig.

«Die Zukunft», sagte eine Werbekampagne des Ölriesen Atlantic Richfield, «ist die beste aller Zeiten»; dann zog der Konzern aus dem Osten in den wilden Wachstumswesten. Jeder Gouverneur in Sacramento, der Goldrush-Boomtown von 1849, liebäugelt seit zwei Jahrzehnten – umgekehrt – mit dem Umzug ins Weiße Haus im Osten.

Amerika liegt in Kalifornien. Die alte Nation zwischen Maine und Virginia, das traditionelle Reservoir der politischen und wirtschaftlichen, der administrativen und akade-

mischen Elite, das Ur-Land der freiheitlichen Gründungs-
mythen und gottgleichen Stiftungshelden von George
Washington bis Benjamin Franklin – es trocknet aus. Auch
ein Symptom: Die backsteinroten, zweihundertjährigen
Gutshäuser in Delaware und Maryland, die Plantagen der
südstaatlichen Aristokratie stehen spottbillig zum Verkauf.
Zu den neoamerikanischen Siedlern an Amerikas Ostküste
zählen deutsche Absentee-Landlords.

Zwei Jahrhunderte lang war Amerika der Alten Welt in
Widerstand, Herkunft und Erinnerung, in ethnischer Viel-
falt, kultureller Sehnsucht und politischer Symbolik verbunden, aller provinziellen Eigenbrötelei zum Trotz. Kriege,
Allianzen, Geschäfte und strategische Zwänge sorgten für
fortwährenden Zusammenhang. Amerikanische Soldaten
verloren ihr Leben auf Europas Schlachtfeldern, um den
Kontinent ihrer Urgroßväter von den Folgen althergebrach-
ten Stammes- und Diplomaten-Irrsinns zu befreien. Nim-
mermehr.

Amerikas militärische Abkoppelung – vom Deutschland-
Strategen Helmut Schmidt seit vielen Jahren ängstlich be-
schworen –, sie hat ja längst als binnenamerikanische Völkerwanderung begonnen. Und die verändert das historische
Bewußtsein der Nation: Good bye, Europe!

Wirtschaftliche Kraft, politische Macht und militärische
Herrlichkeit finden in Kalifornien eine neue, erfolgsgebann-
te Heimstatt.

Kaliforniens erster Handelspartner heißt Japan. Die Europäische Gemeinschaft rangiert unter ferner liefen. Statt
altamerikanischem, bockigem Isolationismus markiert
schlichtes, kalifornisches Desinteresse an Europas kunstvol-
len Kabinettsintrigen das politische Milieu. Die Abkehr von
der Geschichte betrifft allerdings auch die eigene Vergangenheit und damit Amerikas innenpolitische Traditionen.

Die alten Koalitionen des Mittelwestens und der Ostküste
zwischen Gewerkschaften, Angestellten, Minderheiten und
Intellektuellen, Fundament des demokratischen New Deal
und dessen sozial inspirierten Erben von Harry S. Truman

14

bis Lyndon B. Johnson – sie verlieren an nationaler Kraft und erkalten wie die stillgelegten Hochöfen von Pittsburgh, Youngstown und Detroit. Edward M. Kennedy, der letzten sozialdemokratischen Hoffnung, fällt zu Amerika nichts mehr ein.

Die innenpolitische Zukunft der Nation scheint gewerkschaftsfeindlich wie der Ex-Gewerkschafter Ronald Reagan und sozial gefühlskalt wie seine kalifornischen Laisser-faire-Berater. Ihr politisches Menschenbild entspringt allenfalls dem sozialdarwinistischen kalifornischen Siedlungsmythos. Ronald Reagan: «Hier kamen nur die Besten an; die Schwachen sind gar nicht erst aufgebrochen.» Das ist die kalifornische Anthropologie der Freien Marktwirtschaft. Sie ist so kannibalisch wie die 87 Mann starke Donner-Reed-Gruppe – jene Siedler, die 1846 im Mittelwesten losfuhren und mit ihren Planwagen in der verschneiten Sierra Nevada am 2. November steckenblieben. Um nicht zu verhungern, verzehrten die Überlebenden die Leichen der Erfrorenen. Die 47 «Besten» kamen nach Kalifornien durch. Ein Denkmal gedenkt ihrer Leistung.

Ansonsten aber spüren die Kalifornier wenig von den Fesseln der Geschichte, des überholten und historisch Gesicherten. Die Autorin Joan Didion, in Sacramento geboren, in Südkalifornien daheim, schreibt: «Es ist ganz typisch für die Kalifornier, so zu tun, als hätte die Vergangenheit mit einem Schlag irgendwann begonnen und ihr verdientes Happy End an dem Tag gefunden, da die ersten Planwagen die Reise in den Westen begannen.»

Der einzige kalifornische Ursprungsmythos von Belang, die Epoche des Goldrauschs von 1849, handelt zudem nicht von Freiheitskämpfern wie George Washington, Gerechtigkeitsfanatikern wie Thomas Paine und politischen Theoretikern wie John Adams, sondern von goldgierigen, bisweilen mörderischen und meist enttäuschten Argonauten im westlichen Vorgebirge der Rocky Mountains. Selbst die Tragik des an der Ostküste unvergessenen Bürgerkrieges von 1861/65 bietet heute den Kaliforniern – sie waren ihm geographisch und seelisch ferngeblieben – kein Material zur stolzen oder melancholischen Selbstfindung.

«Dies ist ein wurzelloser Staat», sagt der Berkeley-Politologe Harry Kreisler in fröhlicher Hinnahme des regionalen Schicksals: Ein Land, buchstäblich auf Abbruch gebaut, Jahr um Jahr von Tausenden Erdbeben durchzittert. «Dafür sind wir offen für die Zukunft», meint Kreisler, «und auch für das Außergewöhnliche.» Er verweist auf «E. T.», Steven Spielbergs Kino-Parabel vom außerirdischen Besucher im fürchterlich flachen San Fernando Valley, jenseits der Hügel von Hollywood. Kaliforniens Kinder sind auf alles vorbereitet, nur nicht auf Vergangenheit.

Geschichte ist hier das Alte, und «das Elfte Gebot in Kalifornien lautet: ‹Du sollst nicht alt werden›» – so der Los-Angeles-Kenner William Thompson. «Weil es in Südkalifornien keine wahre Tradition gibt, schaffen sich die Ureinwohner in Filmen und in patriotischen Vergnügungsparks ihre Phantasien von Mutter, Land, Gott – Uncle Sam in himmlischer Verkleidung –, von Privatbesitz, Fahne und Familie.» Dies alles hat den Vorteil, daß es beliebig fortgeschrieben, verändert und den politischen Bedürfnissen angepaßt werden kann. Es hat den Nachteil, daß es unernst ist, ja, lächerlich.

Ein national denkender Marmeladenfabrikant hat bei Los Angeles die Independence Hall von Philadelphia Backstein für Backstein nachgebaut, der Ölmilliardär Paul Getty rekonstruierte in Santa Monica eine mächtige römische Marmorvilla, und der Zeitungszar Hearst setzte sich ein weißes Alptraumschloß an die einsame Pazifikküste: eklektische Kulturfindung allemal und übertriebene Reichtumsgebärden von Erfolgsmännern ohne Eigenschaften.

«Kalifornier zu sein», erklärt der Schriftsteller James Houston aus Santa Cruz, «entpuppt sich als eine persönliche Entscheidung, als eine Auswahl zwischen vielen möglichen Lebenswegen.»

Auswahl, die erwählte Meinung, heißt im Griechischen «Häresie», und Kalifornien ist eine zunehmend mächtige, häretische Variante der amerikanischen Orthodoxie. Die politische Hinnahme der Homosexualität – die «Gays» von San Francisco sind einer der stärksten Wählerblocks der Kommune –, die Blüte der Ökologie, die Freeze-Bewegung, derlei begann, wie einst die psychedelische Hippie-Bewegung, im «Golden State». Walt Whitman hatte recht: «Und endlich kommt das Neue.» Nicht nur die wirtschaftlichen und politischen Schwerpunkte Amerikas haben sich in den Westen verlagert – hier werden auch die neuen National-mythen produziert. Sie lösen sich mehr und mehr von der realen Geschichte der Nation.

Der kulturelle Wandel ist dramatisch. Denn kein anderer westlicher Industriestaat wurde im selben Maße wie Amerika vom stolz Überlieferten, von sittlichen, erhebenden und unterhaltsamen Gründungs-, Pionier- und Kriegsmythen zusammengehalten. Amerika ist das einzige Land mit einer fabelhaften Ziviltheologie im Stil des alten Roms: Washington ist mit Monumenten übersät wie das Forum Romanum – lauter Helden zu Pferde, Halbgötter, nationale Sinn- und Gesetzesstifter, marmorierte Vergangenheit.

Als der später filmisch verklärte US-General Patton im Juli 1943 seine Truppen in den amphibischen Angriff auf Sizilien schickte, ermutigte er sie mit einem Tagesbefehl, der Amerikas hochgemutes, mythisches Selbstverständnis gültig zusammenfaßte: «Wenn wir gelandet sind, werden wir auf deutsche und italienische Soldaten treffen, die anzu-greifen und zu vernichten unsere Ehre und unser Vorrecht ist. Viele unter euch haben deutsches und italienisches Blut in den Adern; denkt jedoch daran, diese eure Vorfahren liebten die Freiheit so sehr, daß sie Heim und Heimat aufga-ben, um jenseits des Weltmeeres die Freiheit zu suchen. Die Vorfahren der Menschen, die uns zu töten obliegt, erman-gelten des Muts, um ein solches Opfer zu bringen, und blie-ben daher Knechte.»

In Pattons Überheblichkeit offenbart sich klassisches Sendungsbewußtsein und die amerikanische Gewißheit, nicht nur anders, sondern auch, alles in allem, besser zu sein. Richard Nixon pflegte sich in den Stunden der tiefsten Watergate-Verzweiflung an Privatvorführungen des «Patton»-Streifens aufzurichten (Hauptdarsteller: George C. Scott), und der Kinosoldat Ronald Reagan dankte dem «Patton»-Produzenten Frank McCarthy in einem Brief: «Frank, es ist ein großartiges Film-Produkt, in dem viele Dinge gesagt werden, die heute gesagt werden müssen. Mich hat die anhaltende, böse Erniedrigung des Militärs in diesen Jahren zutiefst beunruhigt. Der Film hat ein neues Gleichgewicht hergestellt. Ich danke Gott, daß es Menschen wie Patton in Zeiten unserer Not gab. Dank für dies Geschenk an unsere Nation. Nancy stimmt allem zu.» Mythenkundige unter sich.

Natürlich verfügt die Republik zur Selbstordnung über eine aufgeklärte Verfassung, ein offenes Parlament, eine liberale Rechtssprechung, eine kritische Presse und eine analytische Geschichts- und Gesellschaftswissenschaft. Doch den Mut zu sich selbst schöpft Amerika aus anderen Quellen. In der Überhöhung der Gründerväter, der Trapper und Pioniere, der Farmer in Wildnis und Indianerland, in der Fama erfolgreicher Wirtschaftskapitäne oder martialischer Cäsaren wie MacArthur und Eisenhower, in Sagen der fabelhaft tragischen Kennedys, der heroischen Kämpfe des Martin Luther King jr., der großen Künstler, Sportler und Forscher – in ihren stets neu aufbereiteten, heldischen Lebensläufen erfand sich das Land bislang stets aufs neue.

«Was ist der Sinn Amerikas? Wofür steht Macht? Wo steht der Einzelne, von welcher Art ist die Gemeinschaft? Ich glaube», so der Historiker James O. Robertson, «daß die meisten amerikanischen Mythen als Antworten auf diese Frage verstanden werden können.»

Indes – Kaliforniens Film- und TV-Industrie entwickelt auf alte Fragen absolut neue Antworten. Sie faszinieren die halbe Welt. «Dallas» zum Beispiel, die fortwährende Saga einer pseudotexanischen Ölsippschaft – Autoren, Produzenten, Regisseure, Darsteller und Kulissenschieber: alle leben sie in Südkalifornien –, «Dallas» also transportiert ein zynisches Bild des amerikanischen Business in die Köpfe der Fernsehkunden. Promiskuität, finanzielle Verlogenheit, die Welt als Kredit, die Abwesenheit von Schwarzen und anderen Minderheiten: Das sind Versatzstücke des kalifornischen Sozialmythos vom erfüllten Leben. Als Amerikas Fernsehprogrammzeitschriften die Lösung des Trivialrätsels «Wer schoß auf J. R.?» ankündeten, schalteten sich 82 Millionen Zuschauer in die «Dallas»-Serie ein, fast so viele Amerikaner, wie im gleichen Jahr zur Präsidentschaftswahl schritten.

Die alten Transportmittel der amerikanischen Mythologie, der Western, die Geschichte des kleinen Mannes, der Amerikas Ideale gegen Tod und Teufel rettet – sie sind veraltet, vergessen, aufgegeben. An ihre Stelle tritt die Soap Opera, das Mini-Drama im Fernsehen: Erlebnisfragmente des Trivialen schlechthin, der Sieg der Banalität.

«Wir sind eine Nation der Massen-Kultur geworden. Ich finde das großartig», sagt der Direktor des Kommunikationskonzerns RCA, Thornton Bradshaw. «Noch niemals hatten es 20 Millionen Menschen so gut im Erlebnis einer einzigen Kultur. Und hier an der Westküste leben Menschen, die nicht an Tradition und Kastendenken gebunden sind. Ich glaube, es ist eine gesunde Kultur und eine hoffnungsvolle Aussicht auf die Zukunft.»

Der nationale Erfolg von «Dallas» ist kein Zufall. Die entscheidende Verschiebung im Gefüge der amerikanischen Mythen findet in Kalifornien ja auch in Wirklichkeit und nicht nur in TV-Serien, statt. Amerikas politische Mythen werden ökonomisiert: «Freiheit» wird auf den Nenner «Reichtum» gebracht.

An der Pazifikküste, und weniger im ruhigen Mittelwesten, haben die Großkonzerne die allseits bewunderte Rolle des hartnäckigen, unbeirrbaren Pioniers, des «rugged individualism» übernommen. Die kalifornische «Corporation» ist der großgeschriebene Yankee; in ihren Chefetagen residiert, wie einst auf den Kutschböcken der Planwagen, «die amerikanische Aristokratie des Erfolgs» (Ronald Reagan):

19

Die Offenbarung des maskulinen kalifornischen Ich heißt nicht mehr John Wayne, sondern «Southern Pacific», «Bechtel» oder «Hughes Aircraft». Die Gründer dieser Firmen, vier Kolonialwarenhändler, ein deutscher Eseltreiber, ein paranoischer Ingenieur, waren allemal bekannte Heroen der Westküste; Howard Hughes an jüngster Stelle.

Der Kalifornier, der einst halb Las Vegas für nahezu 50 Millionen Dollar aufkaufte und seine Luftlinie, TWA, für 546 Millionen Dollar abstieß, ehe sie gegen einen gewaltigen Schuldenberg flog; der Mann, der schließlich in absoluter Vereinsamung in einer Hotelsuite wegdämmerte – er lebt doch fort in immer neuen Storys, anhaltenden Prozeßgeschichten und in einem Denkmal: Die Stadt Long Beach errichtete seinem skurrilsten Produkt, dem achtmotorigen Wasserflugzeug «Sperrholzgans» die größte geodätische Aluminiumhalle der Welt.

«Warum mögen wir Hughes' Geschichten, warum erzählen wir sie uns immer wieder», fragt die Dichterin Joan Didion, «warum haben wir aus einem Mann einen Volkshelden gemacht, der das reine Gegenteil all unserer offiziellen Heroen ist, ein gehetzter Millionär des Westens, der umgeben war von Legenden seiner Verzweiflung, seiner Macht und seiner weißen Turnschuhe?» Didions Antwort: Howard Hughes' Reichtum garantierte ihm «persönliche Freiheit, Mobilität, Privatheit. Dies waren die Instinkte, die Amerika im 19. Jahrhundert an den Pazifik getrieben haben . . . Howard Hughes war der letzte private Mann.»

Ob «Dallas», ob «Dynasty» («Der Denver-Clan»), ob Howard-Hughes-Mythos und die amerikanischen Reihen-Bestseller über das sexuell erschöpfende, konsumtiv unersättliche, intellektuell erholsame Leben von Beverly Hills und Malibu: Sie alle beantworten die Frage nach dem Sinn der Macht in Kalifornien. Macht entspringt der ausgeglichenen Jahresbilanz, der Steuererleichterung, dem Profit und dient insofern der privaten, nicht der gesellschaftlichen Freiheit. Kalifornische Macht verpflichtet zu nichts: Sie ist unpolitisch, egoistisch, ein Business-Produkt.

Nicht nur die Machtfrage, sondern auch die soziale Kernfrage der amerikanischen Mythologie – Was ist der Sinn von Gemeinschaft? – wird in Kalifornien neu beantwortet. «Selbstverwirklichung statt Compassion» lautet die Parole. Das christliche Bild der heilen Familie, die heimliche Herrschaft der Mutter, Amerikas Familien-Idylle – am Pazifik sind das nicht viel mehr als fade Erinnerungen.

«Gesellschaftliche Arrangements in Kalifornien», sagt der Soziologe Ted Bradshaw in Berkeley, «sind unglaublich fließend. Hier gibt es ein Überangebot an Einsamkeit. Ständig wechselt die Nachbarschaft. Überall schießen neue Siedlungen in die Höhe. Man weiß gar nicht, wo man eigentlich lebt. Und allenthalben Fertighäuser, griechische Säulen, texanische Ranches, spanische Rundbögen: Die Leute ahnen kaum noch, wer sie eigentlich sind.» Sehr wohl aber wissen sie, warum sie hier wohnen: «Suburbia, die synthetische Vorstadt», schreibt der Urbanist Lewis Mumford, «opfert das Realitätsprinzip einer infantilen Weltanschauung, der Idee vom ewigen Vergnügen. Denn als die Freizeit zunahm, entpuppte sich das Spielen schlechthin als ernste Lebensaufgabe, und der Golfplatz, der Country Club, der Swimmingpool und die Cocktail-Party fälschten die Erscheinungsweisen eines abwechslungsreicheren und sinnvolleren Lebens.»

Außerdem zaubert Suburbia das peinliche Erlebnis sozialer Konflikte aus der Welt des kalifornischen Mittelstandes: Man ist unter sich; die Schwarzen, die Aussteiger, die mexikanischen Illegalen, die Versager – sie leben irgendwo anders: in mehr als 100 000 Wohnwagen, in Gettos, in Holzhütten am Feldrand, in abgelegenen Schluchten und neuerdings in schrottreifen Automobilen auf den Freeways von Los Angeles. Als Hausboten, Putzfrauen und Chauffeure machen sie der weißen Elite ihre vorübergehende Aufwartung.

Am Ende aber lebt jeder für sich: Kalifornien scheint von Fremden bevölkert; die meisten Häuser sind Generalisierungen von Gemütlichkeit, vorproduzierte Erinnerungen an die Zukunft – und nirgends wird das deutlicher als in den wenigen, stillen Ausnahmen, in den seligen Hügeln etwa von Santa Monica und Berkeley, Santa Barbara und Carmel Valley, wo gewachsene Kommunen, nicht geplante Grundstücksspekulationen, die Möglichkeit vom besseren Leben in schönen Villen zwischen Zypressen und Eukalyptusbäumen vorführen – aber nur für die «happy few»: Es gibt Orte in Kalifornien, die Eintrittsgeld verlangen und deren Eingänge verschlossen sind wie Forts.

Der kalifornische Identitätsverlust in den Kommunen, die auswechselbare Nachbarschaft hat auch ihre Vorteile: Mit dem neugierigen Nachbarn verschwindet der moralische Anpassungsdruck der Kommune – die permissive Gesellschaft gönnt sich neue Freiheiten. Es ist die Freiheit von alten Bindungen, die Chance, endlich allein zu sein. Im Jahre 1980 kamen auf 210 864 Eheschließungen 134 084 Scheidungen. Jahrelang stand ein juristisches Handbuch von Charles Sherman, «Wie man sich in Kalifornien scheiden läßt», auf der regionalen Bestsellerliste. Die Hälfte aller Ehen in diesem Staat hält allenfalls fünf Jahre, die Zahl der Abtreibungen liegt 50 Prozent über dem Landesdurchschnitt.

Die akademisch beliebte «Sinnkrise der modernen Gesellschaft», Seminarthema der konservativen Soziologie auch in Amerika, entfaltet sich in allen Varianten in Kalifornien. Allerdings sind die Lösungsvorschläge in diesem Staat radikaler und experimentierfreudiger als anderswo.

«Happiness is being single», verkünden Stoßstangenaufkleber in Los Angeles. «Glücklich sein heißt ledig sein.» Bei genauer Betrachtung werden freilich die Umrisse einer großen kalifornischen Männerrevolte gegen die Frau, gegen Mutter und Familie sichtbar. Männer waren es ja, die diesen Staat gründeten – nicht selten als Eheflüchtlinge oder überzeugte Einzelgänger, die in den Flüssen und Goldminen der Sierra Nevada ihr wahres Glück suchten. In den sechziger Jahren des vorigen Jahrhunderts kam, statistisch gesehen, auf zehn Männer nur eine Frau – und die war nicht selten aus sehr gewerblichen Gründen in den Westen gereist.

Die Beatnik-Generation des Dichters Jack Kerouac («On the Road») und seiner coolen Freunde aus San Francisco feierte schon vor 25 Jahren die literarische Absage an Familien-Verantwortung – zu einer Zeit, die der britische Völkerkundler Geoffrey Gorer noch so beschrieb: «In allen Lebenskreisen, in denen die Einwirkung moralischer Anschauungen vorausgesetzt wird – in Amerika bedeutet das in erster Linie: bei allen Beziehungen zwischen Menschen –, handeln die Männer, als würden sie geleitet durch (oder als lehnten sie sich auf gegen) Vorschriften und Verbote, die eine moralische Mutter verkündet.»

Doch die absolute Mutter wurde in Kalifornien vom Podest gestoßen. Der antimatriarchalische Seelenprozeß, der ihr im Westen gemacht wurde, hat längst Amerika überrollt. Und so wird die gute, alte Hausfrau rar. Heute geben nur noch 15 Prozent ihren Beruf mit «housewife» an; 1950 waren es 70 Prozent.

Jedes Jahr lassen sich 600 000 Amerikanerinnen sterilisieren. Sie alle «hungern danach, ihr Leben bis zum Rand auszuschöpfen», meint der prominente Demoskop Daniel Yankelovich in seinem Buch «New Rules». «Sie sind gewillt, alles im Smorgåsbord menschlicher Erfahrung zu konsumieren.»

Widerspruch bleibt nicht aus; so schreibt eine Frau im «Hite Report», einem Bestseller, der die Sexualgebräuche von 3000 Befragten vorstellt: «Die sexuelle Revolution ist für die Frau die größte Farce des Jahrhunderts. Früher konnte eine Frau einfach ‹nein› sagen. Heute gilt sie als prüde oder als etwas noch Schlimmeres, wenn sie sich nicht, kaum gefragt, bereitwillig hinlegt. Diese Revolution ist eine männliche Erfindung.» Es ist jedenfalls die Epoche des «zipless fuck» (Erica Jong) – und die Connaisseurs dieser schnellen Lebensart bevölkern zumal Kalifornien; ihre Opfer allerdings auch.

Auf dem toleranten Staat lastet das Odium, eine der höchsten Selbstmordraten Amerikas zu haben: 3445 nahmen sich 1981 das Leben; fast genau soviele wurden von

Zeitgenossen umgebracht. Häufiger als Geschlechtskrankheiten sind nur noch Husten und Schnupfen.

Fast 80 Prozent der «offiziell» Armen Kaliforniens sind Frauen und Kinder; und viele, wenn nicht die meisten, sind geschiedene oder ledige Mütter. Zwar ist das soziale Netz von Kalifornien seit vielen Jahren enger geknüpft als im restlichen Amerika, zwar bieten die Grund- und Weiterbildung eine glanzvolle und vergleichsweise billige Lebenschance, aber die alten Klassenunterschiede gibt es im «Golden State» gleichwohl: «Die Proletarisierung der unteren Mittelklasse des Sonnenstaates», die der junge Berkeley-Soziologe David Minkus entdeckt, «beginnt mit dem Abstieg der – weniger verdienenden – Frau aus der geschiedenen Ehe in einen verbitterten Feminismus.»

Wie nicht anders zu erwarten, versorgt Kalifornien die Betroffenen auch mit der Therapie: Entfremdung, Verzweiflung, Einsamkeit, mangelnde Anerkennung, Angst und innere Leere, berufliche und intellektuelle Unstetigkeit – diesem Leidenskatalog stellt das Land eine Fülle neuer Sinnangebote, politischer, sozialer und privater Tröstungen entgegen. Sie machen dann im Osten Amerikas und in Europa Schule.

Die breitesten Reizpfade führen ins kommunale Glück. Hier kann sich jeder seine Zeit mit Politik vertreiben. «Die Vorsitzenden der politischen Parteien von Kalifornien sind unbekannt», sagt der Berkeley-Politologe Eugen Lee: Die Parteien selbst sind seit Amerikas populistischer Reformbewegung der Jahrhundertwende buchstäblich im Besitz der Wähler (und der Konzerne).

Wer in den letzten Jahrzehnten für ein öffentliches Amt kandidierte, erwählte normalerweise die öffentliche Verwaltung, die «Regierung», zum Hauptgegner. Die zeitgenössische amerikanische Idee, daß jede Administration schlechthin böse sei, weil sie mächtig ist, blüht am schönsten in Kalifornien. So kommt es, daß Ad-hoc-Komitees, gegründet von besorgten und interessierten Bürgern (und Konzernen), daß Plebiszit-Organisatoren, Anti-Atom- und

Umweltschutzvereine wie der Sierra Club mehr Macht haben als deutsche Bezirksvorsitzende und Parteigeschäftsführer. New Yorker gehen mit ihren Seelenproblemen zum Psychiater oder Zahnarzt; Kalifornier gründen eine politische Initiative.

«Politik als Beruf» hingegen hat in Kalifornien seit dem letzten Jahrhundert einen traditionell schlechten Ruf, da sie von «Politik als Korruption» jahrzehntelang – ja bis heute – nicht zu trennen war. Dies ist deshalb auch das Land der wohlmeinenden Dilettanten im öffentlichen Leben – ein Zustand, den immer mehr Amerikaner dem glatten Organisationsablauf des nationalen politischen Managements vorziehen. Es ist ein basisdemokratischer Kammerton im Konzert der öffentlichen Meinung, den Ronald Reagan erfolgreich anzuschlagen wußte.

Die Rückkehr des «imperativen Mandats», die Verwandlung des unabhängigen politischen Repräsentanten in einen schlichten Delegierten, wenn nicht gar zum «Briefträger» der Basis, ist eine Entwicklung, die der Washingtoner Politik-Konsulent John Naisbitt für ganz Amerika in Anschlag bringt. «Die Ethik der Partizipation verbreitet sich von unten nach oben im ganzen Land», schreibt er in seinem Bestseller «Megatrends», «und sie verändert grundlegend unsere Denkweise über Herrschaftsinstitutionen. Bürger, Arbeiter und Konsumenten verlangen und erhalten mehr Mitspracherecht in Regierung, Geschäft und auf dem Verbrauchermarkt.»

Die kalifornische Steuerrevolte von 1978 machte Schule. Eine große Mehrheit der Wähler kürzte in einem Plebiszit die Grundstücksteuer um 57 Prozent – was den Staat jährlich sieben Milliarden Dollar kostete. Vom Protest wider den Vietnamkrieg bis zur Atomrüstungsdebatte dieser Tage korrigierte das pluralistische kalifornische Grassroot-System die offenkundige Führungsschwäche im Weißen Haus und im Kongreß. Doch das basisdemokratische System war stets auch Opfer von konzertierten Kampagnen interessierter Machtgruppen im Lande. So profitierten vor allem die kalifornischen Großgrundbesitzer von jener Steuerrevolte.

Die kulturelle Voraussetzung basisdemokratischer Selbstkorrektur ist eine allgemeine Toleranz, des Westens widersprüchlichste aller Tugenden – Toleranz der einen für all die anderen politischen und sozialen «Interessengruppen». Kalifornien ist der Inbegriff solcher bisweilen naiven Offenheit – aber auch der Hort der entsprechend unausstehlichen Reaktion. Ronald Reagans südkalifornischer Konservatismus ist der natürliche Reflex auf – zumeist nordkalifornische – moralische und politische Duldsamkeit, auf einen bisweilen überbordenden gesellschaftlichen Pluralismus.

Amerika ist indes weder auf den unumstößlichen Wahrheiten einer Offenbarungsreligion gegründet – wie Kaliforniens Rechtsextreme glauben machen – noch auf den unveränderlichen Einsichten totalstaatlicher Ideologien: In dem Land ist buchstäblich Platz für alle Illusionen und Hoffnungen. Die Flucht aus einer unglücklichen Gegenwart in gehobene Träume ist kalifornische Tradition.

Den einfachsten Ausgang aus der gesellschaftlichen Schwermutshöhle bieten Kaliforniens erstaunlichste Agrarproduzenten an, die Marihuana-Bauern aus den Bergen von Nord- und Mittelkalifornien. Die kalifornische «Pot»-Ernte des Jahres 1983 wird mit einem Marktwert von 1,5 Milliarden Dollar das legale pflanzliche Spitzenprodukt Baumwolle wohl erstmals übertreffen. Von besonderer Qualität ist die hybride Sinsemilla-Züchtung; sie kostet 130 Dollar pro Unze. «Rauschgift ist in unserem Land die größte Industrie», glaubt Leutnant Daniel Cooke im Hauptquartier der renommiert-rabiaten Polizei von Los Angeles.

Die Ordnungskräfte des Staates verlegen derzeit ihre Antidrogenkampagnen von den Grundschulen in die Kindergärten. Immerhin konfiszierten sie schon 1980 eine Menge von 527 Kilogramm Kokain, 16 Kilogramm LSD – genug für nahezu eine halbe Million «Trips» – und 2220 Zentner Marihuana.

Profit-Motive sind genauso den Großbauern des Staates zuzuschreiben, den Tenneco, Getty Oil und der Chandler-Familie aus Los Angeles. Diese Agrar-Konquistadoren haben die Milliarden Dollar umsetzende Landwirtschaft Kaliforniens industrialisiert. Der Farm-Faschismus der Landjunker von 1900 bis 1945 ist abgelöst durch Automation: Äpfel, Birnen und Orangen, Trauben, Mandeln und Salate werden von Maschinen gepflückt, Gebrauchsweine in Fabrikhallen gekeltert: Tausend Hektar große «Lagen» sind die Regel.

Die Wiederkehr des kalifornischen Kleinbauern als Haschisch-Produzenten ist zugleich illegale Rückkehr zu einer amerikanischen Lebensweise, die der Nationstifter Thomas Jefferson noch gepriesen hatte: «Die das Land hegen und kultivieren», schrieb er zwei Wochen vor seinem Tod, «sind die wertvollsten Bürger. Sie sind die kräftigsten, die unabhängigsten, die tugendsamsten. Sie sind ihrem Land und seiner Freiheit verpflichtet durch die dauerhaftesten Bindungen.» Ihre letzte, nicht so tugendsame Variante, die Marihuana-Bauern von Kalifornien, hat nichts zu fürchten außer den Satelliten der Behörden: Die Früchte des Zorns, lindgrün und mehrere Meter hoch, werden neuerdings aus 200 Kilometer Höhe von der Nationalen Raumfahrtbehörde erfaßt.

Zivilisationsmüde Ökologen wandern heute ab ins goldhaltige, baum- und wiesenreiche Hinterland von Nordkalifornien. Ihr Weg ist vorgezeichnet in einem zehntausendfach aufgelegten Kultbuch der siebziger Jahre: Ernest Callenbachs «Ökotopia» beschreibt die benevolente Diktatur eines grünen nordkalifornischen Sezessionsstaates (Washington und Oregon inklusive). Hier klappt alles bei Nullwachstum: die grüne Liebe, das wahre Leben, der fromme Stoffwechsel mit der Natur und ein allgegenwärtiger Spitzeldienst der herrschenden alternativen Abtrünnigen.

Es geht zu wie einst in der Westfiliale der kurzlebigen, kommunistischen Ersten Internationale: Unter der Führung des Anarcho-Marxisten und Gewerkschafters Burnett G.

Haskell entdeckten Mitglieder der 300 Mann starken, utopischen Kaweah-Kolonie (1886 bis 1890) beim Versuch, Sequoia gigantea zu fällen – als Holzfällerkommune wollte man die Welt erlösen – einen der dicksten und größten Bäume Amerikas: «Karl Marx Tree». Heute firmiert das Jahrtausende alte lebende Naturwunder als «General-Sherman-Baum» im Sequoia-Nationalpark. Die Internationale im Wald aber zerstreute sich bald. Der enttäuschte Haskell rief den Genossen nach: «Kleinschreibfanatiker, Wortpuristen, Vegetarier, Swedenborgianer, ein paar orthodoxe Sozialisten und andere Mystiker». Sie alle fänden immer noch eine neue, passende Kommune in Kalifornien.

Die Kalifornier greifen auf die traditionellen Gemütsstützen jüdisch-christlicher Provenienz, auf Rat und Trost etablierter Kirchen immer seltener zurück. Sie beten lieber vor alternativen Altären – wenn überhaupt. Einer Umfrage des *San Francisco Examiner* zufolge bezeichnen sich nur noch 41 Prozent der Bürger im Einzugsbereich der Zeitung als Christen (und höchstens 25 Prozent fühlen sich einer Gemeinde zugehörig). Doch 22 Prozent glauben an «eine Kraft jenseits der materiellen Welt»: Sie sind «Mystiker und Spiritualisten»; 19 Prozent votieren für eine aufgeklärte, sittlich-rationale Moral; elf Prozent halten sich für Agnostiker; sieben Prozent sind Juden, Buddhisten und Atheisten.

Konservative Amerika-Soziologen wie Peter Berger beklagen die «Glaubwürdigkeitskrise» der christlichen Kirche: Sie sei, so meint er, beschleunigt worden von der «kognitiven Elite der Wissensindustrie», den säkularisierenden Einflüssen von areligiösen Mittelstands-Denkern. Doch Berger übersieht das kalifornische Gegen-Beispiel: Im transzendentalen Supermarkt der Westküste rangieren Zen, Subud, Yoga, Sufismus, tibetanischer Buddhismus, Vedanta und andere Glaubensexoten gleichberechtigt neben dem fernsehgerecht dargebotenen Christentum eines Robert H. Schuller. Der ist Prediger in Garden Grove, und sein professioneller Kirchenstab verwaltet, wie praktisch, auch die Aktien und Grundstücke der biederen Gemeinde. Hier ist Jesus kein Leidensmann, sondern Impresario der guten Laune und Dividendenheiliger.

Jacob Needleman, ein vergleichender Religionswissenschaftler, kam als akademisch trainierter Existenzialist 1962 von der Ostküste nach San Francisco. In der schönen Stadt traf er «junge Menschen, die von psychedelischen Drogen fasziniert und schließlich abhängig wurden; hier entstand eine profunde Reaktion gegen den Vietnamkrieg, wider Technologie und fast jeden Aspekt der modernen Gesellschaft – vom Essen zu den sexuellen Sitten bis zur sozialen Ungerechtigkeit und zu organisierter Religion». Und alsbald bemerkte der Zugereiste, daß «Kalifornien den gefühlskalten europäischen Geist hinter sich läßt».

Die Europäer, so Needleman, – und das heißt auch: ihre intellektuellen Erben an der Ostküste – hätten «den Kosmos aus der Beziehung des Menschen zu Gott eliminiert». In Kalifornien hingegen «sind viel mehr Menschen der kosmischen Dimension des menschlichen Lebens offen».

Der Erfolg asiatischer Religionen an der Pazifikküste hat seine Gründe nicht nur in der Anwesenheit von chinesischen, japanischen und koreanischen Minderheiten – Vietnamesen, Kambodschaner, Philippiner kommen hinzu –, sondern auch im offensichtlich reizvollen Angebot all jener Rituale, meditativen Techniken, psychischen und physischen Übungen, die der stromlinienförmig modernisierten christlichen Kirche abhanden gekommen sind. Akupunktur ist der halbe Gottesdienst. Darüber hinaus ist Kaliforniens religiöser Pluralismus eben auch ein spirituelles Widerspiel des ortstypischen, von der Kirche nicht getrösteten Leids: «Es ist», so Needleman, «die Verzweiflung von Menschen, die unaufhörlich bekommen, was sie haben wollen: eine fieberhafte Erfüllung aller Wünsche und die Besänftigung ihrer Angst.»

Parareligiöse Selbstverwirklichung in teuren Wochenendveranstaltungen, der Glaube, daß der Mensch perfekt geboren sei und nur «zu sich selbst finden» müsse – das addiert sich wohl auch zu einer kalifornischen Erfahrung von neuer, samtener Entfremdung. «Do it yourself»-Bücher für jede Lebenslage und Seelenstimmung überschwemmen die Buchläden der Westküste. Sie sind schwacher Ersatz für das Leben in Gemeinschaft, Papier-Antworten auf Fragen, die offensichtlich niemand mehr hört. Hier gibt es keine endzeitlichen Massenbewegungen, sondern nur Gemütsexpeditionen solidaritätsschwacher, einsamer Zeitgenossen auf der Suche nach «Gefühl, der vorübergehenden Illusion von Wohlsein, Gesundheit und seelischer Sicherheit» – so der Sozialkritiker Christopher Lasch in seinem Abgesang auf das amerikanische Leben, auf die «Kultur des Narzißmus».

Diese Kultur blühte zuerst in Kalifornien – und doch verbirgt sich in ihren individualistischen Aufbrüchen nach innen mehr, als der europäische Zynismus gerne wahrhaben will: Hier regt sich ja auch der kalifornische Wille, mehr zu erfahren, weiter zu reisen, Neues zu lernen, anderes zu sehen und Fremdes zu erleben – jenseits der vorgegebenen Sittenschranken und ererbten Lebensdoktrinen.

Anything goes.

Amerika liegt in Kalifornien. Aber wo Kalifornien liegt, ist noch nicht entschieden.

2
«Schöner als das Utopia der Alten»

Die Geschichte Kaliforniens

Blow, boys, blow for Californio

Nordamerika: Zuerst gab es ein paar englische Kolonien, im Sommer von Seuchen und Moskitos geplagt, im Winter von Bären und jahrein, jahraus von Ureinwohnern bedroht. Die koloniale Welt war klein und überschaubar. Ein Gouverneur von Virginia glaubte, den Pazifik sehen zu können, wenn er nur die Berge am Horizont ersteigen würde.

Sektiererisch im Glauben waren die Kolonisten und eklektisch in der Auswahl all der neumodischen Gesellschaftstheorien, die aus dem vorrevolutionären Frankreich und aus den Cafés von London über den Atlantik drangen. Gebildete Teehändler, Gutsherren, Juristen und Lehrer in Amerika lasen Locke, Harrington, Montesquieu, Machiavelli und Aristoteles. Im Jahre 1776 erklärten sie ihre Unabhängigkeit vom englischen Mutterland.

Nur zwei Jahrhunderte später beherrschen die Nachfahren und Erben jener lesehungrigen, englisch-amerikanischen Rebellen kraft ihrer militärischen Stärke die halbe Welt. Die wirtschaftliche Größe der Vereinigten Staaten bestimmt maßgeblich die Zyklen der westlichen Ökonomie.

Kein Weltreich der Geschichte hat in so kurzer Frist darüber hinaus soviel Reichtum, soviel Land akkumuliert wie dieses. Das Geheimnis der historisch einmaligen Karriere? Die möglichen europäischen Weltmachtkonkurrenten bluteten sich in vererbten Machtfehden aus. Rußland, dessen moderne Gegnerschaft zu den Vereinigten Staaten der prophetische Amerikareisende de Tocqueville erwartet hatte, war im 19. Jahrhundert noch mit sich selbst beschäftigt – und später mit seinen nachbarlichen Feinden. Sein kalifornisches Besitztum, Fort Ross, räumte es unaufgefordert im Jahre 1841.

Den mitgeschleppten, christlich-europäischen Zivilisationsimpulsen der nordamerikanischen Siedler aber wuchsen, Zufall der Geschichte, die technischen Instrumente der industriellen Revolution zu: Eisenbahn, Kommunikation, moderne Leder- und Textilmanufaktur, Stahlindustrie – kein Industriezweig, den Amerika nicht revolutionierte. Doch vor allem anderen gab es in Amerika, als Herausforderung und Chance, Land mit Rohstoffen aller Art. Kein Volk war so entschlossen wie die Amerikaner, die Natur der Ding- und Konsumwelt zuzuschlagen, zu roden, zu bauen, zu verbrauchen und auch zu verwüsten.

Alles schien in Amerika vorübergehend. Dörfer, Städte und Siedlungen wuchsen und verschwanden binnen weniger Jahrzehnte. Und im Westen lagen ein Meer von Land, majestätische Bergketten, die «Große amerikanische Wüste» (so die Karten des 19. Jahrhunderts), und dahinter noch einmal: fruchtbares, maßlos reiches Land bis zum Pazifik – Kalifornien.

Gold vor allem schuf den Westen. Und Gold floß von dort in die amerikanische Wirtschaft, 583 Millionen Dollar zwischen 1849 und 1859 – nach heutigem Unzenpreis: 12,24 Milliarden Dollar.

In der Mitte des 19. Jahrhunderts hatte Amerika alles versammelt: Kapital, technisches Know-how, Siedlungsraum und eine neue Sorte von Pionieren – rücksichtslos, phantasievoll, mutig und goldhungrig. «Kalifornien – das ist 3000 Meilen näher zur Hölle», klagte Henry David Thoreau, der Naturphilosoph und Ostküsten-Romantiker einer schnell verfallenden Epoche. Die Reise in die Großmacht-Phase der amerikanischen Geschichte konnte beginnen. Sie fing in Kalifornien an, und Kalifornier bringen heute selbstbewußt Macht und Geschichte ihres Staates in Anschlag; das Weiße Haus gehört ihnen.

Die ersten Europäer auf kalifornischem Boden, Fortún

Jiménez (1533) und Francisco Vasquez de Coronado (1540), waren Delegierte der Konquistadoren Cortés und Pizarro, Goldsucher ohne Glück. Ihnen folgten die Seefahrer Juan Rodríguez Cabrillo (1542) und Francis Drake (1579), unterwegs zur legendären Nordwestpassage. Als der seeräuberische Engländer Drake nördlich des heutigen San Francisco landete, weinten die Miwok-Indianer. Sie hielten den elisabethanischen Abenteurer für ihren Urahn und Stammesvater.

Doch weder Goldgier noch imperialer Sinn allein trieben die weißen Eroberer ins Unbekannte. Sie alle waren außerdem einem inneren Kompaß der Europäer gefolgt; der wies seit Jahrhunderten trügerische Richtungen gen Atlantis, der versunkenen Insel aus den platonischen Dialogen. Immer wieder waren sie aufgebrochen, um die paradiesischen Insulae Fortunatae zu finden, die Inseln der Seligen, die der irische Mönch Brendan im sechsten Jahrhundert glaubte gesehen zu haben – die christliche Version von Atlantis. Kalifornien entsprach dem Traum.

Der Name selbst ist Symbol solcher Illusionen. García Ordóñez de Montalvo, ein spanischer Schundroman-Autor, hatte in seinem Buch «Las Sergas de Esplandián» (Die Abenteuer des Esplandián) ein imaginäres «California» beschrieben: Eine Insel, «rechts von Indien», gleich beim «irdischen Paradies», «bewohnt von schwarzen Frauen ohne Männer, lebend nach Amazonenart . . . Ihre Waffen sind aus Gold wie auch die Rüstung ihrer gezähmten, einst wilden Tiere.» Seine seefahrenden spanischen Leser glaubten, die Insel gefunden zu haben. Erst zwei Jahrhunderte später stand für die Europäer fest (in den Worten eines jesuitischen Missionars): «California no es isla», Kalifornien ist keine Insel.

Doch da war der Küstenstreifen fast schon in Vergessenheit geraten. Erst ein spanischer Bauernsohn von Mallorca, der Franziskaner Junípero Serra, begann 1768 als Fünfundfünfzigjähriger mit der Bekehrung der kalifornischen Indianer und der Öffnung des Landes. 30 niedere «pobladores», arme Militär-Kolonialisten, siedelten 1775 an der Bucht von San Francisco. Auf der anderen Seite des Kontinents, in Lexington, fielen die ersten Schüsse der amerikanischen Revolution.

Neun barocke Bauernkirchen, Lehmstein-Missionen allesamt, baute Serra, zwölf weitere seine Nachfolger. Es waren solide Vorposten eurozentrischer, religiöser Selbstsicherheit. Die Götterwelt der Indianer zerbrach. Eine der Bekehrten, Victoria Reid, sollte sich im Alter der christlichen Didaktik erinnern: «Eine Indianerin erlitt eine Fehlgeburt. Die Mönche beschuldigten sie des Kindesmordes. Sie mußte ihr Haupthaar abschneiden, und sie wurde 15 Tage lang regelmäßig gegeißelt. Drei Monate lang trug sie Fußketten, und sonntags mußte sie vor dem Kirchenaltar auftreten – in ihren Armen ein schrecklich bemaltes Baby aus Holz.»

Die «irracionales», die indianischen Yanas, Schoschonen oder Athapaskaner mit ihren Unterstämmen, überlebten derlei Nächstenliebe und auch die mitgeführten Krankheiten der frommen Männer nicht. Einer der ersten amerikanischen Pfadfinder in Kalifornien, der asketische Calvinist Jedediah Strong Smith, notierte 1826 in seinem Tagebuch: «Die Indianer hier sind zahlreich, ehrlich und von friedfertiger Einstellung. Sie leben in einem Land, das dazu ausersehen ist, die Kraft der Menschheit zu vergrößern. Ja, hier hat der Herr mehr als den üblichen Anteil seiner Gaben verstreut.» In Kalifornien wohnten, relativ gesehen, mehr Indianer als sonstwo in Amerika. Schätzungen schwanken zwischen 100 000 und 250 000 im Jahr 1848.

«Ein Vernichtungskrieg wird gegen die Rothäute geführt werden», meinte der erste US-Gouverneur in Kalifornien, Richter Peter Burnett, mit «schmerzlichem Bedauern – bis die indianische Rasse ausgerottet ist.»

«Der legale, subventionierte Mord» an den Ureinwohnern (so der Historiker Walton Bean) ist heute Teil einer kalifornischen Geschichte, die schon im 19. Jahrhundert von schlechtem Gewissen und landhungriger Ignoranz umgebogen wurde in heldenhafte Pionierkämpfe gegen dumme Heiden. In weniger als 50 Jahren wurden Zehntausende Indianer ermordet. Ein Beteiligter, der Cowboy Moak, erinnerte sich später: «Wenn eine Gruppe von Ranchern mal Indianer ‹wegputzen› wollte, dann wählten sie einen Anführer. Ihm gehörten die Skalps. Einer der Führer, Mr. Good, besaß einen Pappelbaum vor seinem Haus. In den Ästen hingen einmal 40 Skalps.» «Niemals zuvor in der Geschichte der Menschheit», so heißt es in einem Regierungsbericht von 1877, «wurde ein Volk so schnell weggewischt.»

Indianer durften weder wählen noch Waffen tragen, weder Land besitzen noch als Zeugen vor Gericht auftreten und auch keine Weißen heiraten. Die Apartheid war total. «Tod durch Erschießen, Massen-Füsilierungen, unterbrochen vom Tod durch den Strang – das waren so die beliebtesten Techniken», schreibt die Ethnologin Theodora Koerber in ihrem Klassiker «Ishi in zwei Welten».

Der Indianer Ishi war halbverhungert am 9. August 1911 in ein Schlachthaus nördlich von San Francisco getaumelt – der einzige Überlebende des verloren gewähnten Yahi-Stammes: Seine Eltern und Verwandten hatten der US-Armee im Jahre 1873 im wilden Nordkalifornien eines der letzten großen Indianergefechte geliefert. Pfeil und Bogen, Speer und Tomahawk gegen Haubitzen und Henry-Stutzen.

Ihre Sache war gerecht. Allein zwischen 1852 und 1867 waren mehr als 3500 Indianerkinder in Kalifornien gekidnappt worden. Die Jungen endeten als Sklaven, die Mädchen als Prostituierte. Details der mörderischen Überfälle von «vaqueros», den Cowboys, sind überliefert. Einer von ihnen, Norman Kingsley, folgte im Sommer 1868 einer Spur indianischer Viehdiebe und stieß mit drei Kumpanen auf eine Höhle mit 30 Yahi-Frauen und -Kindern. «Wir töteten alle.» Kingsley wechselte sein Spencer-Gewehr gegen eine Smith & Wesson aus: «Die Gewehrkugeln zerfetzten die Babys zu sehr.»

Als Ishi aus der Wildnis kam, gab es in ganz Kalifornien nur noch 15 850 Indianer, etwa zehn Prozent der Urbevölke-

35

rung. Vier Jahre und sieben Monate lang hauste er in einem anthropologischen Museum in San Francisco, ein lebendes Exponat. Er gab dem berühmten Linguisten Edward Sapir Auskunft über seine Sprache, fragte Besucher sanft und höflich: «Everyboddy hoppy?», seid ihr alle glücklich? und starb an Tuberkulose. «Du bleibst, ich gehe», das hieß in seiner mit ihm für immer verschwundenen Sprache «Adieu».

Noch vor den Indianern waren die Franziskaner aus Kalifornien verschwunden: Das spanische Weltreich moderte, die revolutionären Erben in Mexiko säkularisierten von 1834 an den enormen Landbesitz der klösterlichen Missionen und warfen die Priester hinaus. Die Kirchen zerfielen. Doch auch die mexikanische Zentralgewalt war weder von Dauer noch je von Gewicht. Die spanisch sprechenden «rancheros» im Norden herrschten über sich selbst.

Um 1846 lebten unter 7000 kalifornischen Weißen etwa 600 Yankees. Sie hatten in den Häfen von Monterey und San Francisco abgemustert, oder sie waren den abenteuerlichen Schilderungen des Trappers James O. Pattie gefolgt. Dessen «Persönliche Erinnerung» von 1831 ist das erstaunliche Ur-Buch aller Cowboy- und Wildwest-Bücher (und -Filme) Amerikas. Nach den Pelzjägern kamen die ersten Planwagen und Abenteurer wie John Charles Frémont, der seine «wissenschaftliche Expedition» in das mexikanische Departement 1845 mit einer Kanone ausrüstete. Er war, ohne Auftrag der Regierung, ein repräsentativer Vertreter des amerikanischen Zeitgeistes – Präsident James K. Polk hatte gerade mit dem Versprechen die Wahl gewonnen, Kalifornien entweder zu kaufen oder zu annektieren.

Der letzte mexikanische Gouverneur im lieblich gelegenen Monterey, Pío Pico, ahnte das Ende der halkyonischen Tage von Kalifornien voraus. «Plötzlich sehen wir uns von Yankee-Meuten bedroht», schrieb er nach Mexiko, «ihre Landnahme können wir nicht aufhalten. Sie roden, sie ackern, sie pflanzen Rebstöcke, bauen Mühlen, sägen Holz, errichten Werkstätten und treiben viele andere Dinge, die ihnen offensichtlich im Blut liegen.»

Nach Frémonts Operettenzwischenspiel einer autonomen kalifornischen Republik gab Mexiko im Vertrag von Guadalupe Hidalgo sein nördlichstes Departement an die Vereinigten Staaten von Amerika ab. Das war im Februar 1848. Neun Tage zuvor, am 24. Januar 1848, hatte James Wilson Marshall, Vorarbeiter des Schweizer Einwanderers und Großbauern Johann August Sutter, am steilen Ufer des American River – so breit wie die Werra, so reißend wie die Isar – Gold gefunden.

El Dorado, das Sehnsuchtsziel der Spanier, Portugiesen (und vieler Deutschen), die 300 Jahre lang die Urwälder Südamerikas goldgierig durchstreift hatten, lag in einer sanften, europäisch anmutenden Vorgebirgslandschaft, Tausende von Kilometern weiter nördlich, zu Füßen der Sierra Nevada.

Sutter (auch: Suter) hatte seine Frau und vier Kinder schnöde und hochverschuldet in der Schweiz sitzenlassen. Am Sacramento River gründete er 1839 «Neu-Helvetia». So gut entwickelten sich Leder- und Fleischhandel, daß er sein Anwesen alsbald zu einem Fort ausbauen konnte – ein Wildwest-Supermarkt mit Schmiede, Lebensmittel- und Eisenwarenhandel. Einer seiner Ladenmieter, der Mormone Samuel Brannan, erfuhr von Marshalls Finder-Glück, kaufte alle Schaufeln Nordkaliforniens auf, reiste nach San Francisco und machte die vier Monate lang geheimgehaltene Sensation publik: «Gold, Gold, Gold am American River.»

Binnen weniger Wochen fielen 6000 Golddigger über Sutters Grund und Boden her. Sie kamen von den Schiffen, aus den Redaktionen von San Francisco, aus Matrosen- und Dienerquartieren, von anderen Gehöften, alsbald aus Mexiko, dann aus Peru und Chile. Am Feather River schürften vier Digger mit indianischer Hilfe in vier Wochen Gold für 75000 Dollar aus dem Sand; ein Mädchen stieß auf den sprichwörtlichen Klumpen Gold – 6,5 Pfund; und Gouverneur Richard B. Mason sandte 228 Unzen des Edelmetalls – damaliger Wert: 4332 Dollar – als glanzvollen Beweis kalifornischer Möglichkeiten nach Washington.

Am Jahresende hatten die Goldgräber Nuggets im Werte von 210 Millionen Dollar (Preis von 1983) gefördert. Die Nachrichten vom Goldenen Westen erregten die New Yorker Leser des berühmtesten Journalisten seiner Zeit, James Gordon Bennett. Im New Yorker *Herald* gab er eine Vorstellung seiner moralischen Standhaftigkeit:

«Zweifellos werden die goldenen Sagen von goldenen Flüssen die Phantasien zahlreicher Hitzköpfe beleben und sie dazu veranlassen, einzupacken und in jene Gegenden zu ziehen, in denen Reichtum über Nacht möglich ist. Doch sie alle warnen wir vor der Illusion des schnell verdienten Geldes: Seid gewiß, daß alles Gold der Welt euch nicht glücklich machen kann.»

Ein großer Psychologe war der Leitartikler nicht. «Alles Gold der Welt»? Eine bessere Aufforderung zur Teilnahme am Goldrausch war noch nicht veröffentlicht worden. Im Januar und Februar 1849 fuhren 178 Schiffe von der Ostküste gen Kalifornien: Es war eine 18 000 Seemeilen lange Fahrt um das stürmische Kap Hoorn, und die dauerte, je nach Wind und Wetter, zwischen fünf und acht Monaten.

Die nicht minder heroische Alternative, der Überlandweg, wurde zum Kernstück des nationalen Wildwest-Mythos: 22 500 Amerikaner treckten zu Fuß, per Pferd und Kuh nach Kalifornien. Noch im Jahre 1860, als der Goldboom vorüber schien, gaben von allen 300 015 Kaliforniern 82 537 Männer ihren Beruf mit «Goldsucher» an: Einige von ihnen, Golddigger aus Leidenschaft, gaben bis zum Lebensende nicht auf. Das letzte Goldbergwerk schloß 1967, offene Goldminen sind seit einigen Jahren, da der Preis wieder stimmt, neu in Betrieb genommen worden.

Die Jagd nach Kalifornien glich einem Grand-Prix-Rennen der Habsucht. «Viele Maultierzüge waren im Schlamm steckengeblieben», notierte ein Pionier, William Swain, in seinem Tagebuch, «und es fiel schwer, sie in ihrer Not sitzenzulassen. Doch würden wir anhalten und jedermann helfen, der Probleme hat, so kämen wir niemals an.»

Als Swain und sein Trupp aus Pennsylvania die Goldgründe erreichten, waren die besten Claims schon vergeben. Mexikaner, Indianer und Asiaten waren von allen Schürfrechten ausgeschlossen: Sie durften helfen, aber nichts behalten. Swains Chronist, der Historiker J. S. Holliday («The World Rushed In»), notierte die Inflation der Goldrausch-Ära: Ein gekochtes Ei kostete 75 Cent, eine Dampfmaschine statt 2000 mehr als 15 000 Dollar, eine Prostituierte verdiente 50 000 Dollar im Jahr; ein Farmer verkaufte binnen acht Monaten für 25 000 Dollar Gemüse, eine Wolldecke war zwölf, ein paar Schuhe 35 Dollar wert. Selbstmord war die Regel: So teuer hatte sich's niemand vorgestellt. Swain kehrte nach zwei Jahren mit einem Gewinn von lediglich 600 Dollar in den Osten zurück.

Zwischen 1848 und 1852 wuchs Kaliforniens nicht-indianische Bevölkerung um 2500 Prozent – doch nur acht Prozent waren Frauen. Die schöne Nachricht der Zeitung *Butte Record* von Oroville (65 Whiskey-Saloons), daß eine gewisse Miss Sarah Pellett gedenke, «5000 junge Ladys von Neu-England nach Kalifornien zu bringen» – erwies sich als Ente. Statt dessen kam Lola Montez, des Bayern-Ludwig abgelegte Geliebte, «und hüpfte im Takte zu Kastagnetten». Neben und mit ihr: die deutschen «Hurdy-Gurdy-Girls», die für einen Tanz 50 Cent verlangten – 25 Cent für den Barkeeper, fünf Cent für den Ziehharmonikaspieler. In Kalifornien etablierte sich die klassenlose Gesellschaft der Liebeshungrigen, der Einsamen und der Verlassenen.

Jeder machte Gewinne, so gut er konnte: Grundstücksspekulanten in San Francisco (fünfmal brannte die schöne Stadt zwischen 1849 und 1851 ab, ein amerikanischer Rekord); Holzhändler (die über tausendjährigen Redwood-Tannen entlang der Küste wurden umgesägt); Viehverkäufer (eine Kuh: 500 Dollar); Politiker (Bordellbesitzer zahlten für Lizenzen) und Richter (jedes Urteil hatte seinen Preis).

Moral, Gold und Geld lagen in San Francisco und in Sacramento im gleichen Tresor. Dies waren die Zeitgenossen, die noch der aufgeregte Virgil des britischen Imperialismus,

Rudyard Kipling, hingebungsvoll schilderte: «Ach, die jungen Kalifornier . . . die Unfähigen und Schwachen starben auf dem Weg hierher oder gingen unter beim Aufbau des Landes. Oh, Sohn des Goldenen Westens – ich liebe ihn; denn er ist mutig, geht gerade wie ein Mann und hat ein Herz so groß wie seine Stiefel.»

In jenen Jahren wurde ein Teil des kalifornischen Nationalcharakters geprägt, der sich gehalten hat. Ein Goldsucher, Henry Page, hat ihn skizziert: «Zwar ist man hier offenherzig miteinander, doch herrscht nicht das gleiche Interesse am Mitmenschen wie daheim. Wir wissen und fühlen alle, daß die Bekanntschaften hier von kurzer Dauer sind. So besteht kein Bedürfnis nach enger Freundschaft. Es sind Dampfer- und Kutschenbekanntschaften. Andere allerdings bleiben, um Jahr für Jahr Gold anzuhäufen, und ihre habsüchtigen Seelen werden niemals glücklich sein.»

Nach wenigen Monaten in den eisigen, goldführenden Gewässern der «Motherlode», des Landes zwischen Nevada City im Norden und Mariposa im Süden, waren die solidarischen Gefühle der Golddigger vollends verflogen. Schießereien gehörten alsbald zum Alltag, Duelle zwischen Ehrenmännern zum städtischen Vergnügen. Zu den Gefährdeten zählten vor allem Journalisten und Verleger. Gesellschaftsdamen packten ihre Picknick-Körbe und sahen zu, wie General James W. Denver – ihm verdankt Colorados größte Stadt den Namen – den prominenten Redakteur Edward Gilbert in San Francisco niedermachte, streng nach Comment.

«Vigilanten», Bürgermilizen, propagierten in jedem Nest eine volkstümliche Idee von Gerechtigkeit. In Dry Diggings knüpften die aufmerksamen Bürger zwei Verdächtige auf, fortan hieß der Ort Hangtown. Hangtown war überall. 1856 übernahmen 4000 Vigilanten kurzfristig die Herrschaft über San Francisco und verurteilten den Obersten Richter Kaliforniens zum Tode. Damals gab der Staat im Jahr 754 000 Dollar für die Gefängnisse und 200 000 Dollar für die Schulen aus.

«Das Wettrennen gen Kalifornien», nörgelte im feineren Osten der Philosoph Henry Thoreau («Walden»), «ist ein Bild der größten menschlichen Würdelosigkeit. Daß so viele bereit sind, für das Glück zu leben, um so vielleicht die Mittel zu erwerben, andere, nicht so Glückliche, zur Arbeit zu zwingen, ohne auch nur einen Deut zur Gesellschaft beizutragen – das nennt man heute Enterprise, Geschäftstüchtigkeit.» Der edel denkende Thoreau übersah allerdings, daß in Kalifornien nicht nur blindlings nach Gold gesucht wurde, im Gegenteil. Hier entstand vielmehr eine wohlgeordnete Industrie, vorwärtsgetrieben von technischem Kow-how und einem experimentierfreudigen Esprit de corps.

Konservative Wirtschaftstheoretiker – «je weniger Abgaben, desto mehr Wachstum» – können darauf hinweisen, daß Kaliforniens brillante Karriere darauf gründete, daß der Staat auf die Besteuerung des Goldes verzichtete. Dies war ein demokratisches Ereignis – jedermann startete mit gleichen Chancen; «Equality», Schibboleth der Verfassung, war kein leeres Wort im Goldland.

Schürf- und Fördertechniken wurden vor Ort neu entwickelt. Die kalifornische Bergwerksindustrie setzte den Stand der Technik für den Kontinent fest. Von Kalifornien aus verbreitete sich Erz- und Kupferabbau nach Osten. Der Wille, Probleme zu lösen, versetzte im Westen buchstäblich Flüsse: In ihrem Bett lag Gold. Die Narben solcher fleißigen Operationen sind noch heute zu besichtigen – wie auch die melancholisch stimmenden Friedhöfe in einer Landschaft, der inzwischen die dazu gehörigen Orte abhanden gekommen sind. Hier, in fernen Tälern, liegen die Weithergereisten, die den Absprung zurück nicht mehr fanden, nur 30 oder 40 Jahre alt, vergessen, doch unter teuren, marmornen Grabplatten aus Vermont.

In Kalifornien neigte sich die «harte, häßliche, ungewaschene, vulgäre und gesetzlose Epoche» (so ihr literarischer Chronist Bret Harte) dem Ende zu. Der junge Staat war fortan in der amerikanischen Kultur und Mythologie fest verankert. Die «Old Californians», die als gemachte Männer (oder zumindest um Erfahrungen reicher) in die Oststaaten heimkehrten, erzählten Legenden vom Wilden Westen, jener urigen Geistesregion, in der sich die Träume von Freiheit, Reichtum, Abenteuer und Glück vereinten zum neuen, zum anderen Bild von Amerika.

Das einzige, was fehlte, war ein Nabelstrang zwischen dem Neuen und dem Alten – eine Eisenbahn in den Westen.

Jahrelang hatte ein junger, vollbärtiger Ingenieur, Theodore B. Judah, vergeblich versucht, das saturierte Bankestablishment der Ostküste am Bau einer Eisenbahnstrecke nach Kalifornien zu interessieren. Es bedurfte kalifornischer Spielernaturen, verrückter Investoren, um das phantastische Projekt zu verwirklichen.

Drei ehemalige Goldgräber, Collis P. Huntington, Mark Hopkins, Charles Crocker und ihr Freund, Leland Stanford, ein gescheiterter Lokalpolitiker, setzten im Winter 1859 über 15 000 Dollar auf Judahs grandiosen Plan: Sie zeichneten 800 von 85 000 Eisenbahnaktien. Das Geld hatten sie nicht in den Diggings, sondern als Lebensmittel- und Eisenwarengroßhändler in Sacramento verdient, der Landeshauptstadt nordöstlich von San Francisco. Noch vor Ende des Jahrhunderts sollte jeder von ihnen einen Gewinn von je 65 Millionen Dollar machen: vier Prototypen des Hochkapitalismus, moralisch abgefeimt, Karikaturen der Selbstsüchtigkeit – und doch auch kalifornische Statthalter des American Dream, des gerechten, weil selbst verdienten Aufstiegs aus dem Gemüse-Milieu ihres biederen Anfangs.

Judah hatte mit einer Lobby-Kampagne in Washington ganze Arbeit geleistet: Die amerikanischen Steuerzahler finanzierten mit einem dreißigjährigen Kredit zu sechs Prozent – 16 000 bis 48 000 Dollar pro Meile – das Bahnprojekt. Der Bund schenkte den «Großen Vier» und der zweiten, noch zu gründenden Gesellschaft im Osten breite Landflächen links und rechts der Trasse – insgesamt 45 Millionen Acre (18 Millionen Hektar). Als erstes errichteten die vier Direktoren eine Hoch- und Tiefbaugesellschaft und gaben sich selbst die (subventionierten) Aufträge.

Auf dem Höhepunkt ihrer Karriere kontrollierten die Männer der Central Pacific Railroad allein in Kalifornien 11,58 Millionen Acre (drei Millionen sind der Bahn geblieben). Zehntausend chinesische Kulis, zum Gleisbau aus China wie rechtlose Werkzeuge importiert, hämmerten in Handarbeit Tunnel durch den Granit der Sierra Nevada. Am 8. Januar 1863 hatten sie angefangen; am 10. Mai 1869 trafen die westliche Central Pacific Railroad und die Union Pacific, von Osten kommend, in Promontory im Bundesstaat Utah zusammen. Selbst im nüchternen Boston läuteten die Glocken.

Die «Großen Vier» (Judah war wenige Monat nach der ersten Gleisverlegung gestorben) übernahmen in Kalifornien die Macht. Sie kauften Richter, Polizisten, Senatoren und Abgeordnete. Der Chef der Politischen Abteilung der Central Pacific setzte in den neunziger Jahren den kalifornischen Regierungschef in seine schmalen Rechte ein.

Die Bahn-Monopolisten kauften vor dem Bau von Stichlinien ins fruchtbare Land die besten Grundstücke auf. Da sie die Frachtraten zu Lande und zu Wasser bestimmten, konnten sie jeden verkaufsunwilligen Farmer zur Preisgabe seines Besitzes zwingen. Noch heute gehören nur sechs Prozent der kalifornischen Landwirte 75 Prozent des fruchtbaren Landes. Die Bauern heißen Getty Oil, Tenneco und Southern Pacific.

Der neureiche, opulente Lebensstil der Ex-Digger, Eisenbahn-Barone und ähnlicher Industriekapitäne Amerikas provozierte Neid und Spott. Sie bauten Paläste auf dem Nob Hill von San Francisco. Crockers Haus, «ein Delirium von Holzschnitzern», grenzte mit einem 15 Meter hohen Zaun an die Hütte des Begräbnisunternehmers Yung: Der wollte nicht verkaufen – nun sah er die Sonne nicht mehr.

Sie kauften Landsitze und Schlösser. Leland Stanford, ein Mann «mit den Ambitionen eines Kaisers und der Rachsucht eines Erdnußhändlers» (so sein Rechtsanwalt), erwarb im Sacramento-Tal für eine Million Dollar Land und ließ 2,8 Millionen Rebstöcke setzen. Zur Erinnerung an seinen früh verstorbenen Sohn stiftete er gar eine ganze Universität. Und Collis P. Huntington, «gemein wie ein Krokodil», so der *San Francisco Examiner* im Nachruf, hatte seine Preispolitik im Goldrausch gelernt: Früher besaß er die einzigen Schaufeln weit und breit, nun hatte er die einzige Eisenbahn. Befragt, was das Rätsel seines Erfolges sei, sagte er einmal: «Bring Geld auf die Bank – auf die eigene.»

Thorstein Veblen, ein Sohn norwegischer Einwanderer, der einige Jahre an der Stanford-Universität verbrachte, hatte in seiner «Theorie der Feinen Leute» die neue Luxusklasse Amerikas einer vernichtenden Kritik unterzogen. «Der schlichte Besitz von Reichtum und Macht reicht nicht aus, um die Wertschätzung der Zeitgenossen zu erringen und zu bewahren», schrieb er, das Geld müsse vielmehr in verschwenderischer Manier ausgegeben werden. Nur so lasse sich darstellen, daß man es weder benötige, noch daß man zur Klasse der Arbeiter und Angestellten zähle.

Veblen: «Der gute Ruf in einer hochindustrialisierten Gesellschaft hängt letzten Endes von der Kreditwürdigkeit ab. Das Mittel, sie unter Beweis zu stellen, sind Müßiggang und ostentativer Konsum.»

Nicht der Prunk, wohl aber die Korruption des Eisenbahn-Oktopus wurde so unerträglich, daß von 1890 an Proteste gegen die Monopole das politische Milieu Kaliforniens veränderten. Eine bäuerliche «Volkspartei» forderte die Einführung direkter Vorwahlen bei der Kandidatenaufstellung, das Verfassungsrecht auf Wählerinitiativen und Plebiszite sowie die Möglichkeit, Politiker jederzeit abwählen zu können. Der populistische Wunschkatalog ging in die Parteiprogramme mächtiger kalifornischer Reformbewegungen ein. Heute noch bestimmen jene Forderungen, längst Verfassungswirklichkeit geworden, die politische Kultur des Staates.

Die Allmacht der Eisenbahn war gebrochen, doch ihr Mythos hat überlebt: Er kreist um die nicht ganz unberechtigte Vorstellung, daß im politischen und wirtschaftlichen Alltagsgeschehen meist unbekannte, aber mächtige Regisseure die Fäden ziehen. So kommt es, daß Kaliforniens Politik stets kosmologische Kriegs-Dimensionen – hie lichter Freund, dort dunkler Feind – anzunehmen pflegt. Daß zum Beispiel Kaliforniens Natur dem Zugriff bedenkenloser Interessen ausgeliefert wäre, wenn die Bürger sie nicht verteidigen würden – das ist heute die bekannteste Form des populistischen Kampfes gegen die Mächte der Finsternis. Unter dem (ursprünglich deutschen) Titel «Ökologie» hat er die Welt beeindruckt – eine kalifornische Erfindung.

«Natur» – das hatten die kultivierten Besucher von der Ostküste erkannt – ist Kaliforniens Beitrag zur Größe der Nation. Kalifornien, fand der Dichter Henry James, sei das amerikanische Italien im Rohzustand. George Santayana, vorübergehend Philosoph in Harvard (ehe er nach Europa heimkehrte), besuchte 1911 die junge Universität von Berkeley: «Wenn wir die Natur zu unserem Nutzen ausbeuten, wenn wir mit ihren Kräften experimentieren und sie verwandeln in industrielle Handlanger – dann erfahren wir nicht, daß Natur weder von uns noch für uns gemacht ist. Doch wenn wir hinausgehen, wie Ihr Kalifornier es liebt, hinaus in die Wälder und Sierras, dann fühlen wir: Dies haben wir nicht gemacht, dies hat auf uns auch nicht gewartet.»

In Kalifornien, so hoffte der Denker, werde sich eine neue Demut entfalten und die Einsicht, daß moralische Systeme, industrielle Aggressivität – der Wolkenkratzer-Geist – wertlos seien angesichts der majestätischen Schöpfung.

Die Kalifornier zäunten die Erfahrungsflächen von derlei erhabenen Überlegungen in Naturschutzparks ein – und veränderten anderswo die Natur wie kein Volk zuvor in der Geschichte. Eisenbahn, Dampfschiffahrt, Morsegeräte, Handel und Verkehr hatten das Land an Amerika angeschlossen. Kalifornische Agrarmaschinerie, vom Vier- zum Achtscharpflug, revolutionierte die weltweite Landwirtschaft: Hier tuckerte der erste Dampftraktor, gefolgt vom ersten Raupenschlepper über die planen Felder des San-Joaquin-Tals.

Die größte Farm, 170 Kilometer von einem Ende zum anderen, eine Million Acre, gehörte dem deutschen Einwanderer Henry Miller. Damals entwickelte sich ein industrieller Agrarmonopolismus. Seine traurigen Auswirkungen, die Klassenschranke zwischen Landbaronen und Habenichtsen, berührten den Schriftsteller Henry George bei einem Ausritt in Oaklands Hügeln mit religiöser Kraft. Ein alsbald verfaßter Bestseller, «Progress and Poverty» (1879), Fortschritt und Armut, wurde fünfmillionenmal verkauft, mehr als die Schriften eines Marx oder Engels. Georges Vorschläge: Enteignung der Eisenbahn, Wertzuwachssteuer für Bodenspekulanten und ansonsten ein gleich hoher Steuersatz («flat taxes») für alle. Noch Ronald Reagan glaubt an den Sinn von «flat taxes» – es ist die fiskalische Variante der alten demokratischen Weisheit, daß es Armen und Reichen gleichermaßen verboten sei, unter Brücken zu schlafen.

«Wie eine Eidechse», so ein Historiker, hatte derweil Südkalifornien während des nördlichen Goldfiebers in der Sonne gelegen, ein Kuh-, Schaf- und Ranchero-Paradies, in dem die Zeit stehengeblieben schien. Im Jahre 1860 wohnten in Los Angeles nur 4385 Menschen. Doch als die Southern Pacific im Jahre 1882 die kalifornischen «Southlands» mit Texas verbunden hatte, begann der erste amerikanische Land-Boom (eine kalifornische Wortprägung). Agenten der Eisenbahn boten südkalifornisches Land in Kansas City und New York, aber auch in Brest, Bremen und Bilbao an: «Eden for sale», Paradies zum Verkauf.

«Alle Welt schaut nach Kalifornien» schrieb die *Los Angeles Times,* «schöner als das Utopia der Alten ist Utopia am Pazifik.» Der Verleger Harrison Gray Otis war Großgrundbesitzer, und er entdeckte alsbald das materielle Geheimnis der Stadt: Vom Klima und sonst nichts gesegnet, konnte Los Angeles allein wachsen kraft seines Wachstums.

Nur galt es, den Prozeß in Gang zu halten – und so geschah es, dank einer florierenden Werbeindustrie. Wachstum diktiert die Politik von Los Angeles noch heute. Hier steht nichts still außer der Luft über der Stadt, hier bewegt sich alles im Freeway-Tempo irgendwohin, nur nicht zum verslumten Zentrum; denn da wohnt keiner, der bei Kasse und Verstand ist.

Im Jahr 1887, da die Santa-Fe-Eisenbahngesellschaft die erste Zugverbindung zwischen Südkalifornien und dem Mittelwesten herstellte, verfielen die Fahrpreise von Kansas City nach Los Angeles auf einen Dollar. 300 000 Amerikaner packten ihre Koffer und zogen um. Makler und Immobilienmarktschreier waren schon da. Sie setzten über 100 «Städte» in die umliegenden Wüsten, Bergketten und sogar in ausgetrocknete Flußbetten Südkaliforniens: Phantasiegebilde namens Rosencrans, Walteria und La Ballona, jedes einzelne ein sonniges Nirwana mit Aussicht in die Mojave-Wüste. Boom und Bauernfängerei waren eins.

Indes provozierte jeder noch so kläglich verglimmende Immobilien-Rausch den nächsten. Irgend etwas blieb in all den Konkursmassen stets zum öffentlichen Nutzen übrig: Straßenpläne, Abwasserkanäle, ein paar leere Häuser. Los Angeles blühte, denn die Neubürger hatten sich in die Idee ihrer Stadt verliebt. Und ihr Mythos wuchs mit einer neuen Industrie: «The Movies», die Filme.

Junge New Yorker Stummfilmproduzenten flohen vor den Patentschutz-Zugriffen des Kamera- und Filmtrusts um Thomas Edison und George Eastman. In Kalifornien waren sie sicherer – und das sonnige Wetter war es auch: Adolph Zukor, ein Pelzhändler, Sam Goldwyn, ein Handschuhverkäufer, William Fox, ein Kleiderreiniger, Carl Laemmle, ein Kleidertrödler, und Louis B. Mayer, ein Schrotthändler: Dies waren die Stifter einer neuen Kunstform des 20. Jahrhunderts, und die wurde inszeniert von David Wark Griffith und Cecil B. de Mille. Sie war Vehikel des Ruhms für Mary Pickford (1920 verdiente sie bereits eine Million Dollar jährlich), Douglas Fairbanks, Rudolph Valentino, Charlie Chaplin, Gloria Swanson und Greta Garbo, die den Wechsel in die Tonfilmzeit glanzvoll schaffte.

In Hollywood – mehr eine Gemütslandschaft als ein realer Ort, denn die Studios liegen verstreut über ganz Los Angeles – wurde eine große Erfahrung des amerikanischen Westens korrigiert: Gleichheit, so stellte sich da heraus, zeichnete vor allem die «Einwanderer» von Kalifornien aus – das standardisierte Haus, das gleiche Essen, das gleiche Auto, die gleiche Arbeit, das gleiche Klima, der gleiche Tod. Doch im Kino offenbarte sich das Andere schlechthin – die besondere Schönheit, die herausgehobene Männlichkeit.

Hollywood produzierte erfüllte Sehnsucht und Charisma. Dabei ist es geblieben. Und noch etwas: «Im Gegensatz zur volkstümlichen Meinung, daß inzwischen kalte Finanziers die Macht übernommen hätten», so einer der intimsten Kenner der Filmbräuche Amerikas, David McClintick («Indecent Exposure»), « steht fest, daß die wichtigsten Schaltstellen im Entertainment-Business von inspirierten, geschäftstüchtigen Juden beherrscht werden, die aus New York oder Chicago nach Hollywood umgezogen sind. Und obwohl die Neulinge urbaner und kultivierter sind als die alten Film-Mogule, sind sie doch gleichzeitig genauso kreativ, aufgekratzt und schillernd, ja bisweilen verrückt wie die Altvorderen. Und Jiddisch bleibt die zweite Sprache Hollywoods».

Der Ortswechsel der Film-Macher in den Westen Amerikas schien triftig, nur die neue Stadt machte in sich selbst keinen Sinn. Zwar wuchs die Zahl der Angelenos zwischen 1900 und 1940 um über 1500 Prozent – doch hätte kein seltsamerer Ort für dies Massenexperiment gefunden werden können: Hier gab es kein Wasser. Regen erschrickt noch heute die Bürger, im Sommer verdursten in den unbesiedelten Hügeln die Karnickel.

Nur 0,06 Prozent des natürlichen Flußwassers von Kalifornien fließt durch das Wüstenbecken von Los Angeles. Und doch gluckert derweil Wasser in allen Gärten, Wasserbottichen und Swimming-pools, über Felder und Wiesen rieselt's, als sei es immer schon dagewesen.

Dabei ist es nur sechzig Jahre her, daß die Stadtväter von San Diego einem selbsternannten «Regenmacher», Charles Hatfield, den Auftrag gaben, für 10 000 Dollar die Dürre zu beenden. Der Mann baute ebenso sinnlose wie eindrucksvolle chemische Apparaturen auf. Und dann fing es an zu regnen, ohne Unterlaß, mehr als in vielen Jahren zuvor, bis eine Talsperre brach, die Fluten vier Menschen mit sich rissen und hundert Schafe ertranken. Hatfield hatte mit seinem Geschäftsprinzip «Zufall» zu viel geliefert, er mußte fliehen. Sein Kollege William Mulholland war, vorübergehend, erfolgreicher.

Er hatte bereits vor dem Ersten Weltkrieg die ersten Reservoirs oberhalb der Stadt Los Angeles gebaut. Dann fiel das Augenmerk des Wasserwerkdirektors auf das fruchtbare Owens-Tal. Das paradiesische Land voll grüner Matten lag zu Füßen mächtiger Berge, 400 Kilometer weit entfernt im Nordosten. Hier ackerten 7000 Farmer, abgelegen und nach Art der Pioniere: Lynch-Justiz regelte Rechtsunsicherheiten. Mulholland: «Die werden wir austrocknen!»

Das kühne Projekt, Wasser aus solcher Ferne in den durstigen Süden zu lenken, wurde von Harry Chandler gefördert. Der Schwiegersohn des *Los Angeles Times*-Herausgebers Otis leitete ein Makler-Syndikat, dem am Ende Grund und Boden im Wert von mehr als 100 Millionen Dollar gehörte. Geschäftsfreund Sherman saß im Aufsichtsrat der städtischen Wasserwerke: «Monopoly» im Urzustand.

Die Chandler-Clique – zu ihnen gehörte auch E. H. Harriman, Eisenbahn-Baron und Vater des Großdiplomaten Averell Harriman – kaufte noch vor 1905 weite Flächen im San-Fernando-Tal bei Los Angeles auf. Hier lag eine Art Bevölkerungsüberlaufbecken für die Zeit, da Wasser aus dem Owens Valley den nächsten städtischen Wachstumsschub auslösen würde. Schwiegerpapa Otis ergatterte 550 Acre, die er später dem Tarzan-Schöpfer Edgar Rice Burroughs vermachte; der taufte die Gegend «Tarzana». Während das Syndikat die Parzellen verteilte, erwarb Mulholland im städtischen Auftrag und mit juristischen Tricks Grund- und Uferrechte im fernen Owens Valley.

Das Meisterwerk seines Aquaedukts, ein 1913 vollendeter Kanal durch 142 Tunnel, ließ die düpierten Farmer der fernen Regionen auf dem Trockenen sitzen. Ihre Felder ver-

49

dorrten. Als die Bauern schließlich mit Sprengstoff zur Sache kamen (am 27. Mai 1927 flog eine Wasserschleuse in die Luft), beantwortete die selbstbewußte Stadt den Dynamit-Affront mit einem Zug voller Hilfssheriffs. Der Krieg der Farmer berührte den Kino-Cowboy Tom Mix; er sandte den Rebellen ein Orchester zum Troste. Los Angeles gewann den Bauernkrieg gleichwohl; die Rebellen wurden verurteilt (einer saß fast ein Jahrzehnt lang im Zuchthaus); die Chandlers und Otis' aber wurden noch reicher, und das Owens-Tal verssteppte. In Roman Polanskis Film «Chinatown» tauchte die Wassertragödie noch einmal auf.

Mulhollands Ruhm indes verblaßte, als eine Talsperre, die er sechs Stunden zuvor freigegeben hatte, brach: Die Fluten wälzten sich durch das Santa-Clara-Tal und rissen 400 Menschen mit sich. Vor Gericht stellte sich heraus, daß der Wassermann Mulholland ein Autodidakt war. Studiert hatte er nie. Doch das nahm ihm keiner übel.

Kalifornien ist, mehr als jeder andere Staat Amerikas, ein Land der Selfmademen. Diese Region, so ihr kritischer Chronist Carey McWilliams, «hat aufgrund ihrer inneren Dynamik ein ganz anderes Tempo als die Nachbarstaaten eingeschlagen. Die Einzigartigkeit und das Neue von Kaliforniens Umwelt haben, zusammen mit den erstaunlichen (geographischen) Unterschieden, als ständige Herausforderung an sozialen und technischen Erfindungsgeist gewirkt.»

Talentierte Einwanderer aus aller Welt und eine unermeßliche Fülle von Rohstoffen – noch heute importiert Kalifornien nur ein Fünftel seines Erdölbedarfs – signalisierten dem Staat zur Jahrhundertwende eine großartige Zukunft. Sie begann allerdings mit einem Knall.

In den Morgenstunden des 18. April 1906, um 5.14 Uhr, wurde die Stadt San Francisco von einem Erdbeben heimgesucht. Eine Zeugin: «So, wie ein Terrier eine Ratte schüttelt.» Mit einer Geschwindigkeit von 11 000 Kilometer pro Stunde raste das Beben, vom Norden kommend, durch die Bucht, ruinierte Fort Bragg und, weiter im Süden, Salinas. Vor allem aber zerstörte es San Francisco.

Die Katastrophe dauerte nur 48 Sekunden. Straßen rutschten ab, Häuser stürzten ein und Gasleitungen brachen. Sie heizten ein Großfeuer an, das drei Tage dauerte und 497 Häuserblocks mit 28 188 Häusern verzehrte. Mehr als 700 Menschen starben, 250 000 verloren ihr Heim. Ziellos wanderte der verstörte Tenor Enrico Caruso durch die Straßen, ehe ihn ein mitleidiger Kunstfreund im benachbarten Oakland unterbrachte.

Das Beben kam nicht unerwartet. Entdeckt wurde die Ursache, eine tektonische Bruchlinie, bereits im Jahre 1893 von dem Geologen Andrew Larson, der die Herkunft eines schweren Bebens von 1857 studierte. Entlang der kalifornischen Küste, so die allgemeine Theorie, ziehen zwei Erdplatten in entgegengesetzter Richtung. Sie verzahnen sich, bis die Spannung zu groß wird: Dann bebt es wie in San Francisco oder wie später, am 9. Februar 1971, im San Fernando Valley, wo die Häuser tanzten und ein angeblich erdbebenfestes Hospital kollabierte. Es gab 64 Tote.

Eine Studie des Nationalen Sicherheitsrates in Washington zeigt, daß heute ein südkalifornisches Beben von der Größe 7,5 auf der Richter-Skala 20 000 Menschenleben kosten und für 69 Milliarden Dollar Schäden anrichten würde. Die Dächer über Amerikas strategischer Rüstungsindustrie, die in Südkalifornien konzentriert ist, würden einfallen.

Nicht weniger als die Naturkatastrophe erschütterte ein Sittenskandal die Stadt: Bürgermeister Eugene F. Schmitz hatte Bestechungsgelder aus französischen «Restaurants», Bordellen im zweiten Stock, entgegengenommen. «Eugene», so ein empörter Kunde, «nahm Maut von jedermann.» Die schöne Stadt am Meer legte eben stets Wert auf ihren europäischen Charakter und auf alte Sitten – anders als Los Angeles.

Der stellvertretende Staatsanwalt im großen Anti-Korruptionsprozeß von San Francisco, ein gockelhafter Bantamboxer der Gerechtigkeit, hieß Hiram Johnson. Er machte sich einen Namen, nachdem sein Vorgesetzter von einem Zeugen kurzerhand niedergeschossen wurde. Gleichwohl gelang es auch Johnson nicht, einen einzigen der Angeklagten hinter Gitter zu bringen. Verbittert schloß er sich der südkalifornischen «Lincoln-Roosevelt-Republikaner»-Partei an: die neuen Saubermacher. Der Staatsanwalt kandidierte fürs Gouverneursamt und wurde gewählt.

Mit Johnson übernahm eine junge Mittelklasse die Herrschaft im Lande. Die Zeit der rückwärtsgewandten Patrizier, der ländlichen Feudalherren mit Sitz, Stimme und Geld in fast allen politischen Institutionen lief langsam ab. Parteien wurden entmachtet, Politiker unter die Kontrolle der Wähler gestellt, Kinderarbeit verboten, und die Tarifmonopole der Eisenbahn gebrochen. Politischer Anstand und ein idealistischer Glaube an die freiheitlichen Versprechen der US-Verfassung, ein neuer Stolz auf ganz Amerika – das waren die wichtigsten Elemente in Hiram Johnsons Wahlsieg.

Sie sollten in unterschiedlichen parteipolitischen Formen Grundlage regionaler und nationaler Wahlsiege bleiben. Mehr noch, in Kalifornien zeichnete sich erstmals die spätere Koalition des New Deal ab: Der Bürgerliche Johnson erhielt 70 Prozent der Arbeiterstimmen. Hier formierte sich, so das reaktionäre Hearst-Blatt *San Francisco Chronicle*, die Allianz der «fortschrittlichen Idioten».

Johnsons Intimfeind, der südkalifornische Verleger Otis, bekämpfte derweil die Gewerkschaften. Am 10. Oktober 1910 explodierte vor seinem Pressehaus eine Bombe mit siebzigprozentigem Nitroglyzerin, 21 Menschen kamen ums Leben. Mit ihnen starb die einzige sozialistische Bewegung in Amerikas Stadtgeschichte, die Aussicht auf einen großen Wahlerfolg hegen konnte. Denn als sich herausstellte, daß die Bombe von radikalen Gewerkschaftern gelegt worden war, brach die Partei zusammen – und mit ihr die südkalifornische Gewerkschaftsbewegung.

Hinter den Purpurhügeln von Megalopolis – schon 1925 wohnten hier 576 000 Menschen – lag Kaliforniens künstlich bewässerte Speziallandwirtschaft: Auf ehemaligen Wüstenflächen wuchsen Weizen, Gemüse, edle Obst- und Nußsorten, Zitronen und Artischocken. Mexikanische Saisonarbeiter konkurrierten mit 30 000 importierten Filipinos um Hungerlöhne fürs Unkrautjäten und Obstpflücken. Die Lateinamerikaner wiederum wurden bedrängt von den «Okies» und «Arkies», die zwischen 1935 und 1938 aus Oklahoma und Arkansas gen Westen flohen. In dem ländlichen Milieu von Not und althergebrachter Ausbeutung verbreiteten sich Gewalt, Streiks – und Rassismus.

Auch heute schuften 120 000 mexikanische Landarbeiter in Kalifornien. Obwohl viele inzwischen gewerkschaftlich organisiert sind, gleichen die gebückten Gestalten in den Feldern des Staates immer noch den mißbrauchten Figuren aus John Steinbecks Romanen «Pastures of Heaven» und «Tortilla Flat»: Der Dichter wußte, wovon er sprach, er war in Salinas aufgewachsen, zwischen Salatfeldern von der Größe Liechtensteins.

Das gute wolkenlose Wetter ließ nicht nur die Früchte sprießen. Es führte die ersten Flugzeugkonstrukteure nach Los Angeles: Donald W. Douglas, Glenn Curtiss, Alan und Malcolm Loughead (Lockheed), T. Claude Ryan (er baute Lindberghs «Spirit of St. Louis») und Northrop – hier formierte sich eine Industrie, die von 1941 an, dem Jahr des Eintritts Amerikas in den Zweiten Weltkrieg, Kaliforniens Wirtschaftsgeschichte diktieren sollte.

Die Völkerwanderung hörte nicht auf. Zwischen 1900 und 1930 zogen 4,5 Millionen Menschen nach Kalifornien. 43 000 Immobilienmakler in Los Angeles waren vorbereitet: Sie verkauften die Stadt wie einen endlosen Kitschfilm. Südlich der Tehachapi-Berge, im großen Kessel von Los Angeles, entstand eine Metropole ohne Mitte.

Der Dichter und Drehbuchautor Nathanael West lieferte in seinem Buch «Tag der Heuschrecke» eine schwarze Analyse der unerfüllten Lebenshoffnungen dieser Stadt und ihrer Neubürger, die mit Zeitungsanzeigen aus dem Mittelwesten an die Pazifikküste gelockt worden waren. «Ihre Langeweile wird immer tiefer. Sie erkennen, daß sie hereingelegt worden sind, und sind wütend. Täglich hatten sie die Zeitungen gelesen und waren in Hollywoods Filme gegangen: Da

53

war die Rede von Lynchjustiz, Mord, Sexualverbrechen, Explosionen, Schiffsuntergängen, Liebesnestern, Feuern, Wundern, Revolutionen und Kriegen. Sie waren die schweigende Mehrheit des südkalifornischen Wirtschaftswunders, «the folks», die Kundschaft von Pseudo-Mystikern, Spiritualisten, Evangelisten, Chiropraktikern und Hydrotherapeuten. Ihre Seele hatten sie im Mittelwesten gelassen, nun saßen sie da in der Sonne. «Alles ist möglich», hatte ihnen ein südkalifornischer Immobilienmakler zugerufen, «die Zukunft gehört euch, und die Vergangenheit – es gibt keine.» Das war das Problem.

Die Große Depression der dreißiger Jahre ruinierte (vorübergehend) die kalifornische Grundstücks-Industrie. Mehr noch: Konkurs- und Bankrottverfahren brachten an den Tag, daß die Makler 75 000 Kalifornier um mehr als 200 Millionen Dollar betrogen hatten. Als 1,25 Millionen Kalifornier arbeitslos auf der Straße standen, schickte Los Angeles seine Polizei an die Landesgrenzen und machte, wider die US-Verfassung, alle Übergänge dicht. Kalifornien? Besetzt.

In jener Notlage konnte jede religiöse Versprechung Gläubige finden. Am seltsamsten war der Auftritt der «Technokraten». Sie gedachten, den Staat und die Wirtschaft in die «Hände ausgebildeter Ingenieure und Techniker» zu legen. Marktwirtschaft sollte abgeschafft, alle Erfindungen der Befriedigung menschlicher Bedürfnisse zugeführt werden. Die Definition der Bedürfnisse übernahmen, wie anders, die Technokraten. Arbeitslosigkeit wollten sie lösen, indem sie nur noch 25- bis 45jährige Menschen beschäftigten – 132 Stunden im Jahr. Und der Maßstab des zukünftigen Sozialglücks sollten der Verbrauch und die Produktion von Energie sein: Erg, Joule und Kalorie hieß die zukünftige Dreifaltigkeit. Obertechnokrat Howard Scott versammelte 80 000 Anhänger um sein Programm.

Auch der Schriftsteller und Journalist Upton Sinclair versuchte sich als Erlöser. Sein Buch über die Fleischpacker von Chicago, «The Jungle», hatte ihn zum Helden der progressiven Bewegung Amerikas gemacht. Nun wollte er Gouverneur werden. Amateur Sinclair erreichte sein Ziel nicht, aber er erhielt immerhin 879 537 Stimmen.

Befragt, warum er sich in den Gouverneurs-Wahlkampf eingelassen habe, antwortete Sinclair: «Ich habe gesehen, wie alte Leute langsam verhungern, wie Zehntausende von Kindern unterernährt aufwachsen, wie Lehrer in die eigene Tasche greifen, um Kindern zu helfen, die ohne Frühstück in die Schule gekommen waren. Ich sah Hunderttausende, die aus ihren Häusern vertrieben wurden im großen Wandel der Zeit, in der Geldverleiher und Bankiers ganz Kalifornien einsackten; und ich sah einen Kolossal-Betrug nach dem anderen – das Opfer war die Gesellschaft, und für jeden verurteilten, korrupten Beamten gab es Tausende, die mit ihrer Beute untergetaucht waren.»

Sinclairs Bewegung «End Poverty in California» errang 67 Prozent der Stimmen in Los Angeles – es war das letzte linksradikale Signal aus Südkalifornien; fortan spezialisierte sich die Region auf Antikommunismus, Öl, Freeways und die Ratenzahlung für Eigenheim, Kühlschrank und Automobile.

Der Schriftsteller unterlag im Wahlkampf einer neuen, kalifornischen Institution, die eine Generation später Ronald Reagan hervorbrachte: der kommerziell geschulten Public-Relations-Firma, die Politik wie Tomatensaft anpreist und Geschäftskonkurrenten (sprich: Wahlkampfgegner) im Supermarkt der öffentlichen Gefühle denunziert wie unredliche Schnürsenkelverkäufer.

Der Kriegsausbruch löste Kaliforniens Wirtschaftssorgen im nächsten Superboom auf: Noch einmal fünf Millionen Amerikaner strömten bis 1950 in den Westen.

Die ersten kalifornischen Kriegsopfer waren Amerikaner japanischer Herkunft. Am 19. Februar 1942, kurz nach dem Überfall auf Amerikas Pazifikflotte in Pearl Harbor, unterzeichnete Franklin D. Roosevelt den Exekutiv-Befehl Nr. 9066 – und 110 000 amerikanische Staatsangehörige japanischer Herkunft verschwanden in Konzentrationslagern (freilich waren dies keine Mordmaschinen nach deutscher Art). Der Kommandeur der westlichen Verteidigungsregion, General DeWitt, erklärte: «Japs bleibt Japs. Die japanische Rasse ist eine feindliche. Und wenn auch viele Japaner der zweiten und dritten Generation auf amerikanischem Boden geboren sind, so sind ihre rassischen Eigenschaften doch unverdünnt.» Zwei kalifornische Deportationszentren lagen im Owens Valley; das ehedem grüne Tal war inzwischen, dank der Wasserabfuhr für Los Angeles, wieder eine glühendheiße, staubige Wüste.

Der Weltkrieg erwies sich für alle anderen Kalifornier als Wirtschaftssegen. Am Pazifik baute der Stahl-, Aluminium- und Beton-Magnat Kaiser Frachtschiffe im Fließbandverfahren. Die Flugzeugwerke produzierten im Jahr 1944 über 110 000 Jäger und Bomber: Hermann Göring wurde in Kalifornien besiegt.

Als Frieden auf der Welt einkehrte, lag das kalifornische Pro-Kopf-Einkommen 300 Prozent über dem Durchschnitt von 1939. Und die Verwandlung der Region um Los Angeles in die Rüstungsschmiede Amerikas erhielt im Korea- und Vietnamkrieg neue Anstöße. Schon 1953 überholte der «Golden State» die Waffenfabrikation des alten Spitzenreiters New York. Ein vorzügliches Universitätssystem bildete die Ingenieure, Physiker und Chemiker aus, die von 1950 an die meisten Nobelpreise nach Kalifornien brachten – und die vor allem die militärische Atomforschung vorwärtstrieben.

Ein hierarchisches System von 93 Gemeinde-Colleges, 19 Staats-Colleges und neun Staats-Universitäten besorgt noch heute die akademische Elitenbildung. In den Unis finden nur die besten zwölf Prozent der kalifornischen Schulabgänger Aufnahme – ein strengeres Auswahlsystem als in Oxford oder Cambridge.

In Kalifornien zumal werden die Ingenieure für das hochtechnologische Wunderland Silicon Valley, die Computerindustrie-Region südlich von San Francisco, produziert, aber auch die führenden Philologen der Nation stammen von der Pazifikküste. Robert Bellah, Religionswissenschaftler und Soziologe, zog Berkeley der «akademischen Selbstsicherheit Harvards» vor: «Hier herrscht nicht die stille Ordnung der protestantischen Tradition, sondern das kreative Chaos der postprotestantischen, postmodernen Ära.»

Zwar zog sich solch akademisches Chaos die Feindschaft der konservativen Wähler und ihrer Gouverneure zu – wie einst Kaliforniens Gouverneur Ronald Reagan, so kürzte auch Nachfolger George Deukmejian das Uni-Budget –, doch finanziell unangetastet im Uni-System mit 6500 Professoren bliebt jene Wissenschaft, die Kalifornien mehr Ruhm als allen anderen US-Hochschulen eingetragen hat: die Atomforschung.

Der Physiker David Saxon war acht Jahre lang Präsident des kalifornischen Uni-Systems (also eine Art Wissenschaftsminister). Daß «seine» Universität auch Los Alamos und das Lawrence-Livermore-Laboratorium verwaltet – Amerikas Zentren der strategischen Nukleartechnologie –, bekümmerte ihn: «Die Universität hat nicht viel davon. Es ist moralisch besorgniserregend. Und doch gibt es einige Vorteile – Zivilisten haben in den Labors das Sagen. Darum ist es auch möglich, daß in Los Alamos und im Lawrence-Livermore-Laboratorium einige Dinge in Frage gestellt werden können.» Gleichwohl entspricht dem martialischen Schwerpunkt der Elite-Universität eine nicht minder militärische industrielle Infrastruktur Kaliforniens.

«Südkalifornien», meinte schon 1962 ein besorgter Zeithistoriker, James Clayton, «ist heute im Falle eines Atomkriegs mehr denn je einem Angriff ausgesetzt; denn ein Fünftel unseres gesamten nationalen Rüstungsprogramms wird in zwei Bezirken abgewickelt, Los Angeles und San Diego.» Dabei ist es geblieben – und es hat sich gelohnt. Der Export-Düsenjäger F-5 hat dem Hersteller Northrop bisher drei Milliarden Dollar eingebracht.

Die fünfziger und sechziger Jahre der Traumregion entfalteten sich als himmlische Periode sozialer und politischer Unschuld. Die «linken» Hollywood-Autoren waren im antikommunistischen McCarthyismus untergegangen. Der Chef der Schauspielergewerkschaft, Ronald Reagan, kämpfte mit seinem Rechtsanwalt Laurence Beilenson tapfer wider kommunistische Unterwanderer (später sollte Beilenson den Präsidenten in strategischen Fragen beraten), und ein Gouverneur nach dem anderen baute Autobahnen durch Stadt, Dorf, Land und Berge.

Es war die Zeit von Doris Day und Rock Hudson in «Pillow Talk»; die Epoche des Drive-in-Kinos, der Drive-in-Kirche und der Drive-in-Beerdigung. Die Hippies von San Francisco «schlurften gen Betlehem» (Joan Didion), die rebellischen Studenten von Berkeley probierten die liberalen Tugenden ihrer bürgerlich-mittelständischen Erziehung aus, und siehe da, niemand glaubte an ihren Sinn.

San Francisco – urban, kultiviert und schöner gelegen als irgendeine andere Stadt der Neuen Welt – entschloß sich zur architektonischen Selbstaufgabe. Die umliegenden Ballungszentren mit etwa fünf Millionen Menschen rings um die Bucht sahen von Anfang an wie Los Angeles aus; die Stadt an der Golden Gate Bridge aber eiferte nun Chicago nach: Auf 46,6 Quadratmeilen und 40 Hügeln rückten Bagger an; das Zentrum wuchs ohne Sinn und Umwelt-Verstand in die Höhe. Gleich provinziellen Sparkassen-Direktoren entschieden sich die Manager der American Bank für Wolkenkratzer als Prestige-Symbol. Ein zweiundfünfzigstöckiges Hochhaus ruinierte die delikate Silhouette, gefolgt von Pyramiden, Glaskästen, Senkrechtsärgen mit 30 Stockwerken oder mehr – Monstrositäten, erdbebensicher, so heißt es, also unzerstörbar.

Daß mit dem Einzug solcher Geistlosigkeit die Stadt als Amerikas «Kultur-Zelle West» überlebte, ist ein unerforschliches Wunder. Mehr noch – die Rückkehr des geflohenen Mittelstandes in das Hippie-Getto der sechziger Jahre, Haight-Ashbury, symbolisiert die offenbar unzerstörbare Attraktion von «the City»: Kein Mensch in Kalifornien würde annehmen, «the City» heiße Los Angeles oder gar San Diego. «Die Stadt» liegt im Norden.

Im Süden, in Los Angeles, wohnte Aldous Huxley. Der englische Schriftsteller («Brave New World») war schon 1938 angekommen. In Kalifornien lebten bereits (oder kamen nach) die deutschen, österreichischen und ungarischen Emigranten Thomas und Heinrich Mann, Bert Brecht, Alfred Döblin, Lion Feuchtwanger, Arnold Schönberg, Lotte Lenya, Berthold Viertel, Richard Neutra, Max Horkheimer, Theodor W. Adorno, Ludwig und Herbert Marcuse, Bruno Walter, Otto Klemperer, Ernst Krenek, Hanns Eisler, Lotte Lehmann, Fritzi Massary, Marlene Dietrich, Kurt Weill, Carl Zuckmayer, Albert Bassermann, Vicki Baum, Franz Werfel, Fritz Lang, Otto Preminger, Billy Wilder, Hedy Lamarr, Peter Lorre, Lilli Palmer, Arthur Schnabel, Elisabeth Bergner, Rudolf Serkin, Richard Tauber und viele, viele andere.

Viele der Immigranten gingen nach 1945 woanders hin, Huxley aber blieb. Kalifornien, so fand er, habe doch seine Reize. Hier könne man sich zum Beispiel durch einfaches Sonnenbaden in «einen absoluten Körper verwandeln, seltsam unempfindlich oder außergewöhnlich sensibel».

Der andere, ebenfalls kalifornische Ausweg aus dieser Welt: Man werde «Geist, ganz und gar unpersönliches Bewußtsein», zum Beispiel mit der indianischen Modedroge jener Jahre, Meskalin. Huxley: «Alles, alles, nur nicht die Hölle der Wirklichkeit». Doch des Dichters Glauben an Kaliforniens transzendental-technologische Führung wurde auf eine ernste Probe gestellt, als sein Haus im heißen Frühsommer von 1961 Feuer fing: Das Fernsehen war 30 Minuten vor der Feuerwehr da. Alles brannte ab.

«Unsterblichkeit», so hatte Huxley in einem seiner Romane gezeigt, ist die heimliche Obsession Südkaliforniens. Der Mann, der dies als erster zu nutzen wußte, hieß Hubert Eaton. «Ich glaube an ein glückliches, ewiges Leben», notierte der junge Eaton im Jahre 1917: Er hatte eine Vision – ein heiterer Friedhof, ohne all die «häßlichen Denkmäler und andere Erinnerungen an einen frühen Tod». Also baute er Forest Lawn Memorial Park. Das ist ein schmalziger

Friedhof für die Oberen Hunderttausend Kaliforniens, ohne schwarze Grabsteine, nur Wiesen, Bäume, das allerletzte Statussymbol für Los Angeles' Bourgeoisie.

Es war das größte Grundstückgeschäft im Leben des Hubert Eaton. Er war zuletzt ein mächtiger Mann in Los Angeles, von rechter Gesinnung und ohne Humor. Als er am 27. September 1966 zu Grabe getragen wurde, standen neben dem Sarg Conrad Hilton (Hotelier), George Randolph Hearst (Verleger), Herbert Hoover jr. (Präsidentensohn), Walt Disney (Mickymaus), Richard Nixon (Anwalt) und Ronald Reagan (Gouverneurskandidat).

Doch wer geglaubt hatte, daß die Hinterbliebenen in Hubert Eatons Fortgang das unvermeidliche Ende einer kalifornischen Epoche, ihrer Epoche, betrauerten, der sah sich getäuscht.

Sie fing gerade erst an.

3
«Diese Nation ist das Licht der Welt»

Wie Ronald Reagan Rechtsextremist wurde

> Früher fragten sie: Wer ist Ronald Reagan?
> Heute fragen sie: Was ist Ronald Reagan?
> Erst ein Linker, dann ein Rechtsradikaler,
> schließlich ein Mann der Mitte. Wo steckt er
> wirklich?
>
> Curt Gentry

Ronald Reagan, Gouverneur von Kalifornien zwischen 1967 und 1975, Präsident der Vereinigten Staaten seit 1981, steckt da, wo er vor einem halben Menschenleben in Los Angeles angefangen hat: mitten im heiligen, wenn auch Kalten Krieg.

Mochte Amerika sich ändern, wechselte die KPdSU listig ihre Führer, verfiel die militärische Standfestigkeit der europäischen Freunde – der Mann aus Südkalifornien hält unbeirrbar am Feindbild der Nachkriegsepoche fest, als wäre es in Marmor gemeißelt: Die Sowjetunion ist der böse Dämon der Geschichte.

«Sünde und Übel sind in der Welt», sagte er im März 1983, «und die Schrift, aber auch der Herr Jesus Christ rufen uns auf zum Widerstand.» Wer verlange, daß das Nuklear-Arsenal weltweit eingefroren werde, «der ignoriert die aggressiven Instinkte eines bösen Imperiums» – der Sowjetunion, des alten Verschwörungszentrums des Kommunismus. Cecil B. deMille («Die zehn Gebote») hätte den Urfeind nicht monumentaler darstellen können.

Bereits in seiner ersten Pressekonferenz im Weißen Haus schlug der Präsident den ideologischen Kammerton seiner Amtszeit an. Die Sowjets, so sagte er, beanspruchten das

Recht, «zu lügen und zu betrügen und jedes Verbrechen zu begehen».

Meint der amerikanische Präsident seine moralische Erklärung der Weltpolitik ernst? Und wenn ja – warum und seit wann denkt und fühlt er so? Was befiehlt das christliche Gewissen dem Enthusiasten in einem schweren außenpolitischen Konflikt mit der Sowjetunion – wenn Moskau statt eines koreanischen Jumbos eine amerikanische Passagiermaschine abschießen läßt?

Reagans religiös inspirierte, atomstolze Außen- und Sicherheitspolitik, die eisige Rhetorik, die Unnahbarkeit dieses doktrinären Präsidenten – sie empfangen ihre ideologischen Impulse aus einem kurzen Abschnitt seiner kalifornischen Vergangenheit. Ohne Reagans Einzug ins Weiße Haus wäre jene Epoche schnell vergessen. So aber ist in Rechnung zu stellen, daß der antikommunistische Zorn des mächtigsten Menschen unserer Zeit einen besonderen, kalifornischen Ursprung hat.

Schon Ende der sechziger Jahre wußte der damalige Gouverneur von Kalifornien, «daß eine totalitäre Macht die Welt beherrschen will: Dies ist ja das marxistische Konzept des sozialistischen Weltstaates. Wir müssen nicht kapitulieren, wir sollen lediglich auf Kriegführung schlechthin und auf unsere Waffen verzichten . . . und dann hätten wir Frieden. Doch es gibt einen Preis, den wir für den Frieden nicht zahlen wollen – das ist die Freiheit.»

Früher noch, im Jahre 1964, sah die Welt des Ronald Reagan, damals TV-Conférencier in Los Angeles, genauso aus. In einer Fernsehrede sagte er: «Wir führen Krieg mit dem ärgsten Feind, dem die Menschheit seit ihrem Aufstieg aus dem Sumpf zu den Sternen entgegentritt.» Der Gegner hieß «Totalitarismus», der zeitgenössische akademische Titel für das kommunistische System.

Totalitarismus-Theoretiker wie Carl J. Friedrich und Hannah Arendt führten einen scharfen moralischen Ton in die antikommunistische Debatte der fünfziger Jahre ein. Sie wurde zunehmend von amerikanischen Jesuiten und Evangelisten beherrscht und finanziert. Reagan, ein Mann ohne theoretische Interessen, griff den frommen Argumentationsfaden vor allem in dem unermüdlichen Kreuzzugs-Blatt *Reader's Digest* auf. Der Mann, dessen Schwerhörigkeit nicht aus dem Kriege, sondern von einer Hollywood-Platzpatrone herrührt, brachte religiösen Antikommunismus und politische Opferbereitschaft in einen zeittypischen Zusammenhang, als er in einer Fernsehrede zugunsten des Präsidentschaftskandidaten Barry Goldwater im Jahre 1964 fragte: «Gibt es denn nichts, wofür es sich zu sterben lohnt? Hätte Jesus sein Kreuz nicht tragen sollen?»

Wenig später sagte Kandidat Goldwater, kein Jesus: «Ein Bömbchen im Herrenklo des Politbüros – das wär's.»

In vergessenen Gewerkschaftsintrigen, in Hollywoods Politskandalen der McCarthy-Zeit, aber auch in Schwermutserlebnissen einer verlöschenden Schauspielerkarriere liegen die wichtigsten Erfahrungen versammelt, die Ronald Reagan für immer geprägt haben.

Szenenwechsel. Los Angeles im kalten Kriegsjahr 1947; Handlung: Dreharbeiten für den B-Klasse-Film «Night onto Night», Nacht auf Nacht. Der Hauptdarsteller Ronald Reagan, 36, linksliberaler, doch antikommunistischer Aktivist der Filmschauspieler-Gewerkschaft «Screen Actors Guild», wird aus der Szene ans Telefon gerufen. Es verbindet ihn mit der wirklichen Welt.

«Ein paar Leute wollen mit dir abrechnen», sagt eine anonyme Stimme. «Die werden dich so schlimm herrichten, daß du deinen Beruf vergessen kannst.» Ronald Reagan hatte sich gegenüber den Solidaritätsaufrufen einer kommunistisch geführten Bühnenarbeitergewerkschaft taub gestellt.

In melodramatischer Wende begann damals des Bedrohten weltanschauliche Lebenskehre: «Ich sah plötzlich klarer.» Hier liegt die kalifornische «Achsenzeit» des Ronald Reagan, die Zeit der intensiven Politisierung. Beschwert um eine Ehekrise und Berufsprobleme, entstand damals Reagans neuer, gesellschaftlicher Erfahrungsschatz.

Ist seiner Biographie zu glauben («Wo ist der Rest von mir?»), so bewaffnete sich der gefährdete Filmstar auf Ratschlag der Polizei mit einem großkalibrigen Smith & Wesson-Revolver. Reagan: «In jenen Tagen merkte ich, wie schnell man derlei ‹Eisenware› zu vertrauen lernt.»

Die möglichen Attentäter, das schien ihm klar, waren kommunistische Unterwanderer der amerikanischen Filmindustrie, denen er, gerade aus dem Krieg in einem südkalifornischen Armee-Propaganda-Studio entlassen, mutig den Kampf angesagt hatte: «Kommunisten, das wußte ich nun, sind nicht neutral: Sie tolerieren dich nur, solange du nicht im Wege stehst.»

Ronald Reagan fand eine neue Aufgabe im Leben. Ähnlich wie der junge kalifornische Kongreßabgeordnete Richard Nixon erfüllte Ronald Reagan die politischen Rollenvorgaben seiner Ära und Kaliforniens. Er wurde, in einer soziologischen Kategorie der vierziger Jahre, ein «außengeleiteter Mensch», ein Mann, dem nicht die eigene Urteilskraft, sondern der – nach rechts abdriftende – kalifornische Zeitgeist die neue Lebensrichtung wies: wider die kommunistische Verschwörung, wider Morallosigkeit, Atheismus und das verräterische Ostküsten-Establishment, wider Bundessteuern und Sozialfürsorge in den Gettos der Schwarzen und der südkalifornischen Mexikaner.

Freilich ging der Gesinnungswechsel nicht so glatt vonstatten, wie Reagan heute glauben machen will. Noch 1950 unterstützte er die Demokratin Helen Gahagan Douglas in ihrem Wahlkampf um einen Senatssitz in Washington. Der Sieger hieß Richard Nixon.

Der Abschied von seiner «linken» Vergangenheit fiel Reagan allerdings nicht aufgrund ideologischer Bindungen an sozialdemokratische Reformideen des «New Deal» schwer, sondern aufgrund seiner grenzenlosen Verehrung Franklin D. Roosevelts. Später sollte Reagan versuchen, sein naives Bild des Mannes völlig von der Politik des New Deal zu lösen. Im Wahlkampf von 1976 erklärte er: «Die Basis des New Deal war in Wirklichkeit der Faschismus.»

Die frühen Berater von Roosevelt, so behauptete er nun, hätten sich an Mussolinis Erfolg in Italien orientiert. Historisch war dies der reine Unsinn, politisch aber diente es einem triftigen Zweck: der Denunziation sozialstaatlicher Errungenschaften Amerikas, der Rechtfertigung des pseudokonservativen, des neuen Ronald Reagan.

In Südkalifornien zumal formierte sich nach dem Kriege die Revolte der Pseudokonservativen – eine Kategorie, die der Soziologe Theodor W. Adorno während seines Exils an der Pazifikküste entwickelt hatte. Der Pseudokonservative, so Adorno (in «Studien zum autoritären Charakter»), hält zwar die demokratischen Institutionen Amerikas in Ehren und verteidigt sie wider Gefahren; doch in Wirklichkeit sind sie ihm fremd, und er will sie abschaffen.

Ronald Reagan, der das politische System der Nation einerseits für ein reales Geschenk Gottes hält («Der Herr hat dieses Land für ein besonderes Volk geschaffen»), wollte es in Kalifornien, andererseits, dem hohen Geber doch am liebsten wieder vor die Füße werfen: «Wollen wir zulassen, daß eine kleine intellektuelle Elite in einer weit entfernten Hauptstadt (Washington) unser Leben plant?»

Reagans alte Verachtung für Beamtenschaft, Berufspolitiker und die konservativen Traditionen der sozialstaatlichen Daseinsfürsorge sowie sein Spott über die liberalen Intellektuellen im Außenministerium sind ungebrochen. Warum?

«Eine der wichtigsten Fragen Amerikas», schrieb der New Yorker Historiker Richard Hofstadter 1954, auf dem Höhepunkt der ersten amerikanischen Nachkriegswende nach rechts, «ist diejenige nach dem Ursprung solcher Ressentiments.» Dann machte der Gelehrte besondere Lebensumstände als Antwort geltend, die – im nachhinein – wie Bilder aus dem Leben Ronald Reagans und seiner reichen kalifornischen Freunde wirken: Pseudokonservatismus, meint Hofstadter, ist ein amerikanischer Milieuschaden.

In Amerikas Politik, so Hofstadter, werden nicht nur die klassischen Kämpfe um das Sozialprodukt ausgetragen.

Hier ist Politik auch ein teures Podium für gesellschaftliche Status-Reklame und soziale Selbstdarstellung. In Washington tummeln sich seit eh und je die Parvenus; das Fanfarengeschmetter im Weißen Haus ist Imponiergehabe und Fanal des Arrivierten zugleich: «Hier bin ich», signalisiert der Präsident, und: «Ich bin wer.»

Auch persönliche Identitätskrisen können politisch, zum Beispiel im schimmernden Patriotismus und verschwörungstheoretischen Antikommunismus, behoben werden: Wer nicht weiß, wer er ist, der kann sich einreihen in die Phalanx der aufrechten Amerikaner. Dann ist er wer.

Hofstadter: «Pseudokonservatismus ist zum großen Teil das Produkt von Wurzellosigkeit und dem heterogenen Lebensstil der Amerikaner, vor allem aber eine Folge der landestypischen Sehnsucht nach Sozialstatus und der Suche nach der gesicherten persönlichen Identität.» Daniel Bell, Soziologe in Harvard, machte seinerzeit «Automobilhändler, Ölsucher, Immobilienhändler», Neureiche und Aufsteiger als typische Vertreter der neuen, extremen Rechten aus; als hätte er Ronald Reagans greises «Küchenkabinett» beschrieben: jene republikanischen Freunde aus der südkalifornischen Nachkriegszeit, allesamt auf der Suche nach Status und Identität.

Das Neue an den kalifornischen Rechten war und ist ihre bisweilen wütende Abneigung gegen durchaus respektable amerikanische Traditionen wie soziales Mitleid, Rechtsschutz für Minderheiten, Umweltschutz, Toleranz für radikale Systemkritik und andere liberale Tugenden – dies alles gilt bei den Rechten als Erfindung eines linken Teufels.

Irgendwann entdeckten die Reaganauten der ersten Stunde das Seelengeheimnis des Rechtsextremismus: Die schrille Versicherung, einer einzigartigen Nation anzugehören. Wenn Gott, wie Ronald Reagan glaubt, «eine kranke Menschheit in Amerikas Hand gelegt hat», dann kann sich die politische Therapie des rechtsextremen, identitätsunsicheren Ichs auch als Erlösung der ganzen Menschheit vom Kommunismus entfalten.

Die Identitätskrise Ronald Reagans begann mit seinem Entschluß, den Mittelwesten zu verlassen, seinen Job als Sportreporter aufzugeben, «auszuwandern» nach Südkalifornien. Der Sechsundzwanzigjährige, der sich unter die 15 936 Nebendarsteller Hollywoods mischte (Stand von 1937), hatte mehr als eine glückliche Kindheit im Landesinneren zurückgelassen.

Der bäuerliche Mittelwesten war einmal ein leidenschaftsloser, maßlos ordentlicher Teil der Nation, verwurzelt in protestantischen Gemeinden und skandinavischen, polnischen und deutschen Familientraditionen, selbstgewiß und selbstgerecht. In solchem Butzenscheibenmilieu zählen Solidarität und Nächstenliebe mehr als Erfolg und Ehrgeiz.

Nur eines durchdrang alle Lebensbereiche des Mittelwestens – Langeweile, das große Immergleiche. Wer heute die kleinen Orte von Missouri und Iowa, von Illinois und Nebraska besucht, der findet auf der Hauptstraße die Art-deco-Kinofassaden, die «Capitols» und «Atlantics». Die Türen der alten Lichtspielhäuser sind längst verriegelt, die Fliesen fallen von den Kassenhäuschen, die Geschäfte sind vorüber. Das neue, sterile Filmtheater steht 20 Meilen entfernt im regionalen Einkaufszentrum.

In den Kinos der Vorkriegszeit aber konnten die Amerikaner – auch Ronald Reagan – ihre geographische und emotionale Einsamkeit für drei Stunden überwinden. Zwischen 1926 und 1933 verdoppelten sich die Kapitalinvestitionen in der US-Filmindustrie. Auf der Leinwand zog das Sentimentale, Abenteuerliche, das Außergewöhnliche ein, das der Nation spätestens seit dem Bürgerkrieg abhanden gekommen war. Hollywood, wo 90 Prozent aller US-Filme gedreht wurden, schien die glitzernde Enklave des American Dream.

Im selben Jahr, da der junge Reagan in der Filmwelt Fuß faßte, veröffentlichte der englische Dichter (und Drehbuchautor) J. B. Priestley seine Eindrücke von Hollywood («Midnight on the Desert») – alles sei unwirklich. Priestley: «Die Obstgärten sind raffinierte Entwürfe von Bühnenbildnern aus dem Hause Metro-Goldwyn-Mayer. Die Berge stammen von United Artists, die Dörfer von Universal City. Die Boulevards werden von Paramount-Kulissen eingerahmt, und Warner Brothers hat die Sonne angeknipst. Die Leute waren gestern noch nicht hier und werden morgen wieder verschwunden sein.» Die Filmleute seien kaltherzig und sonnengebräunt, «doch niemand scheint völlig gesund.» Los Angeles «ist die einzige Stadt, in der dem Touristen ‹Wohnungen› (nämlich der Stars) vorgeführt werden und wo doch niemand je zu Hause ist».

Schein war Hollywoods schönstes Geschäft. «Wir waren wie Libellen», erinnerte sich später die Schauspielerin Mae Murray, «zwar schienen wir mühelos in der Luft zu schweben, aber unsere Flügel schlugen sehr, sehr schnell.»

Der junge Ronald Reagan gehört zu den wenigen Zeitgenossen jenes legendären Hollywood der Greta Garbo, Marlene Dietrich, des Tyrone Power, Clark Gable und Humphrey Bogart, die der irrigen Meinung waren, «die Leute hier sind wie die Nachbarn von nebenan» – draußen im Lande. Er selbst allerdings entsprach durchaus seinem vom Arbeitgeber verordneten, von den Klatschjournalistinnen Hedda Hopper und Louella Parsons verbreiteten Image. Es hieß «straight arrow», ein gerader Kerl. Im Bestiarium Hollywoods tauchte Reagan niemals auf.

Das Nette an Ronald Reagan machte ihn zum auswechselbaren Vertreter jenes breiten Siedlerstroms aus dem Mittelwesten, der Los Angeles geschaffen hatte: «Je mehr Los Angeles wuchs», so ein Historiker jener Zeit, «um so mehr glich es einem Dorf» – genauer: mehreren Dörfern.

Der Historiker Carey McWilliams hat den Gemütszustand von Los Angeles in einer Studie über «Southern California County» festgehalten – und weil er Ronald Reagans kalifornische Welt zwischen 1937 und 1947 beschreibt, verdient der Chronist zitiert zu werden:

«Hier entwickelt sich das Heimweh, nicht nach Europa, sondern nach einem Amerika, das nicht mehr existiert, nach einem Amerika, auf das die Auswanderer von Kansas, Missouri und Iowa zurückblicken.» Ihr größter emotionaler Verlust sei allerdings nicht die daheimgelassene, natürliche Umwelt, sondern die neue, gesellschaftliche Verarmung.

McWilliams: «Menschliche Anpassungsfähigkeit hat ihre Grenzen; niemand sollte die Schwierigkeiten unterschätzen, neue Wurzeln zu schlagen, eine Gemeinde zu bilden, die alles bietet, was man Rechtens vom gesellschaftlichen Leben erwarten kann.» Und: «Endlose Wanderung hat Los Angeles zur Bühne unangepaßten Lebens gemacht. Die Scheidungsrate ist doppelt so hoch wie der Landesdurchschnitt, und die Selbstmordrate ist erschreckend.»

Hier also richtete sich Ronald Reagan ein. Seine Filmkarriere machte bescheidene Fortschritte, er heiratete die Kollegin Jane Wyman, und sein Leben glitt langsam hinüber in die zweite Wirklichkeit des Films. Nach eindrucksvollen Auftritten in den Streifen «Knute Rockne – All American» und «King's Row», stand der breitschultrige Darsteller auf der Schwelle zum wahren Hollywood-Ruhm.

Doch im japanischen Bombenangriff auf die amerikanische Pazifikflotte in Pearl Harbor ging letztlich auch die junge Filmkarriere des Reserveartilleristen unter. Der Filmkollege Jimmy Stewart flog Bombereinsätze über Deutschland, der stark kurzsichtige Captain Reagan rückte ein in die 1. Film-Einheit des Armee-Fliegerkorps im Culver-City-Studio.

Die Uniform stand dem jungen Mann gut, der Krieg von neun bis 17 Uhr auch. Geblieben sind ihm ein unablässig zum militärischen Gruß hochschnellender Arm und eine gewisse untertänige Haltung angesichts richtiger Offiziere. Uncle Sam entließ ihn am 12. September 1945 aus seinen Diensten.

Kalifornien blühte in jenen Jahren auf; Gouverneur Earl Warren verbesserte die Wohlfahrtsprogramme, baute psychiatrische Kliniken, reformierte den Strafvollzug und trieb die künstliche Bewässerung des Central Valley voran. Auch Los Angeles veränderte sich: Der Krieg lenkte Milliarden Dollar in die Rüstungsindustrie. Die Bevölkerung wuchs zwischen 1940 und 1950 um 53 Prozent, das Pro-Kopf-Einkommen verdoppelte sich. Gewerkschaften eroberten die staatlich geförderten Großbetriebe.

Auch für Ronald Reagan brach eine neue Epoche an. Die Filmlaufbahn seiner Frau, Jane Wyman, führte in den Hollywood-Himmel. Sie wurde für einen Oscar nominiert. Anders ihr Mann. Sein Filmvertrag war nach dem Kriegsende zwar noch gültig (3500 Dollar wöchentlich), doch Ronald Reagan erhielt keine entsprechenden Angebote mehr. Amerikas Teenager, das Kernpublikum der Filmindustrie, wußten mit dem sechsunddreißigjährigen Mann nichts mehr anzufangen; ein Filmkuß mit Shirley Temple, dem achtzehnjährigen Teenagerstar, mußte gar geschnitten werden: Das prüde Publikum nahm Anstoß an dem Altersunterschied.

Seinen Hausgästen pflegte der frustrierte, unterbeschäftigte Liebhaber unermüdlich «King's Row» vorzuführen, seinen alten Erfolgsfilm von 1942 (in dem ein neurotischer Chirurg die kerngesunden Beine des Hauptdarstellers Reagan amputiert). Im Mai 1948 ließ sich Jane Wyman scheiden. «Ich konnte dieses verdammte King's Row nicht mehr sehen», gestand sie ihrem Kollegen Gregory Peck.

Ronald Reagan und seine zwei Kinder, Maureen und Michael, waren die Opfer solcher Emanzipation à la Hollywood: «Ich bin geschieden *worden*», klagte er. Vier Jahre lang blieb er Junggeselle, nahm erstmals teil am permissiven Leben der «Filmkolonie» und stürzte sich gleichzeitig in eine neue Arbeit, die von eher läppischen Filmauftritten («That Hagen Girl», «The Voice of the Turtle», «Bedtime for Bonzo») nur noch unmaßgeblich unterbrochen wurde. Im November 1947 hatten ihn die Kollegen zum Vorsitzenden der Filmschauspielergewerkschaft gewählt – ein Liberaler mit linkem Ruf, der freilich alsbald ins andere Lager überlaufen sollte – ein Bekehrter, ein Antikommunist und schließlich ein Rechter.

Die Drehbuchautoren John Howard Lawson und Lester Cole hatten 1933 die Autorengilde von Hollywood gegründet; die Schauspieler organisierten sich wenig später. Lawson und Cole waren Mitglieder der Kommunistischen Partei Amerikas. Ihr Antifaschismus war in den Salons und an den Swimming-pools von Los Angeles en vogue. In der Schauspielergewerkschaft war die ideologische Grundstimmung sozialistisch.

Amerikas Kommunistische Partei ist allerdings in ihren besten Zeiten über 74 000 Mitglieder nicht hinausgekommen. Auf die Frage «Warum gibt es in den Vereinigten Staaten keinen Sozialismus?» hatte der deutsche Nationalökonom Werner Sombart schon 1906 mit bleibender Gültigkeit geantwortet: Der amerikanische Kapitalismus deckt die meisten materiellen Bedürfnisse des Proletariats; Arbeiter sind im politischen Herrschaftsprozeß Amerikas integriert; das Zweiparteien-System absorbiert alle Splittergruppen; die fortgesetzte Verbürgerlichung der Arbeiterschaft ersetzt die Solidaritätsangebote des Sozialismus.

Die Ausnahme zu Sombarts Thesen bildete die Sozialbewegung der Depressionsjahre. Aus jener Zeit stammte auch das elitäre Gehabe des amerikanischen Westküstenkommunismus – er glich dem West Coast Jazz, anspruchsvoll und ohne Massenbasis. «Bis 1942», gestand später zum Beispiel Robert Oppenheimer – «das physikalische Genie» (Ronald Reagan) – «habe ich so ziemlich jeder kommunistischen Tarnorganisation Kaliforniens angehört.» Von 1943 an baute er in Los Alamos die Atombombe. Seine kalifornischen Genossen verriet er dem FBI.

Die Geschichte des Antikommunismus in Hollywood, der in Ronald Reagans politischer Laufbahn einen entscheidenden Wandel einleiten sollte, ist im heutigen Amerika vergessen. Vor drei Jahrzehnten indes wühlten die gewerkschaftlichen und ideologischen Politskandale, die schmerzlichen Dramen von Verrat, Mut und öffentlicher Hexenjagd die Gemüter auf: Amerikas politische Kulturlandschaft änderte sich wie nach einem Erdbeben.

Die KP der USA konzentrierte sich von 1936 an auf den Glamourflecken Hollywood. Victor S. Navasky, amerikani-

scher Historiker der McCarthy-Epoche («Naming Names»),
erklärt das Motiv: «Hollywood repräsentierte das Prestige
der Stars; es war zugleich eine Geldquelle und bot die Chance, die ‹Waffe der Massenkultur› irgendwann in den Griff zu
bekommen.» Freilich verfiel auch in Hollywood die ideologische Anziehungskraft des Kommunismus sehr schnell, als
der Pakt zwischen Hitler und Stalin 1939 bekannt wurde:
«Das ruinierte so ziemlich die informelle Koalition zwischen
Parteimitgliedern und fortschrittlichen, liberalen Autoren,
Schauspielern und Regisseuren», erinnert sich heute der immer noch linientreue Drehbuchschreiber Lester Cole. Mit
Kriegsende verschärften sich dann die Existenzbedingungen
für die «Roten von Hollywood» noch einmal erheblich.

Im März 1946 hatte Winston Churchill in einer program-
matischen Rede im College-Städtchen Fulton in Missouri
dem Kalten Krieg das entscheidende Stichwort gegeben:
«Von Stettin an der Ostsee bis nach Triest an der Adria ist
ein Eiserner Vorhang über den Kontinent niedergegangen
. . . Fast in jedem Fall herrscht ein Polizeiregime, und bisher
ist . . . noch nirgends die Demokratie eingeführt worden.»

Polen, Rumänien und Bulgarien waren bereits gefallen,
die Tschechoslowakei und Griechenland gefährdet.

Dem traditionell antikommunistischen Kongreß-Unter-
suchungsausschuß für unamerikanische Aktivitäten wuchs
in jenen Jahren eine neue Rechtfertigung für seine Gesin-
nungsschnüffelei zu. Im Herbst 1947 luden die Kongreßab-
geordneten prominente Hollywood-Autoren und -Regis-
seure vor, um die politische Hygiene der Filmindustrie zu
überprüfen. Wie die gesuchten Kommunisten hofften auch
die Abgeordneten, daß der Glanz Hollywoods auf sie fallen
würde. Ihr Wunsch ging in Erfüllung.

Nach dem Höhepunkt der spektakulären Verhöre saßen
zehn prominente Filmautoren vor Gericht (die «Hollywood-
Zehn»), weil sie sich geweigert hatten, auf die notorische
Bankettfrage jener Epoche mit ja oder nein zu antworten:
«Sind Sie jetzt oder waren Sie je ein Mitglied der Kommuni-
stischen Partei?» (Bert Brecht, damals noch im US-Exil:

72

«Äh, nein, nein, nein, nein.» Sprach's und entfloh nach Deutschland.)

Die Mehrzahl der Einvernommenen zeigte sich gesprächiger als Brecht. Walt Disney beklagte die Versuche von Mitarbeitern, die Zeichentrickfiguren Mickymaus und Goofy in Klassenkämpfer zu verwandeln. Der Film-Cowboy Gary Cooper hatte «viele Manuskripte mit kommunistischem Ideengut» zurückgewiesen. Kinoheld Robert Montgomery bot den Kommunisten Prügel an.

Ronald Reagan machte vor dem Kongreßausschuß keine schlechte Figur: «Ich verabscheue die Taktiken (der Kommunisten)», sagte er, «zugleich aber möchte ich als Bürger unseres Landes niemals erleben, daß wir aus Furcht oder Ablehnung jener Leute die Prinzipien unserer Demokratie preisgeben.»

Indes – was waren das für Prinzipien? Ronald Reagan warf als Gewerkschaftsfunktionär liberales Gedankengut über Bord. Als Vorsitzender der Schauspielergewerkschaft teilte er einer Kollegin mit: «Wie die überwältigende Mehrheit der amerikanischen Nation glauben auch wir, daß unser Land in ‹deutlicher und anhaltender Gefahr› ist. Der Vorstand ist der Ansicht, daß alle Teilnehmer an der internationalen Verschwörung der Kommunistischen Partei gegen unsere Nation in ihren wahren Eigenschaften entlarvt werden sollten – sie sind die Feinde unseres Landes und unserer Regierungsform.»

Es war das Jahr 1951, und Ronald Reagan wechselte langsam die Rollen. Während Hollywood einen moralisch ertüchtigenden Film nach dem anderen ausstieß («The Red Menace», «I was a Communist for the FBI» und ein halbes Hundert ähnliche Streifen), hatte sich der inzwischen vierzigjährige Gewerkschaftsboß entschlossen, dem Kommunismus persönlich entgegenzutreten. Ronald Reagan, schreibt sein Biograph Lou Cannon, «entwickelte eine handfeste Verschwörungstheorie, die er niemals aufgegeben hat».

Dem amerikanischen Journalisten Laurence I. Barrett

diktierte Ronald Reagan während des Wahlkampfes von 1980 ein Geständnis in den Schreibblock, das noch drei Jahre später «Hollywood» in der amerikanischen Außenpolitik sichtbar werden läßt: «Der Kommunismus», so Reagan damals, «hat mir nie gefallen.» Als Gewerkschaftsvorsitzender der Schauspieler in Hollywood habe er «aus erster Hand den Zynismus, die Brutalität, die völlige Abwesenheit von Moral» der Kommunisten entdeckt, ja, «die Kaltblütigkeit in ihrem Versuch, die Herrschaft über die Filmindustrie um jeden Preis zu gewinnen».

Ronald Reagan hat alte Rechnungen zu begleichen. Sein Kampf um die ideologische Reinhaltung der Schauspieler-Gilde habe seine Filmkarriere gebremst.

Für Reagan, so der Journalist Barrett in seinem Buch «Pokern mit der Geschichte» gibt es «ein Element der persönlichen Rachsucht im geopolitischen Zweikampf». Reagan: «Ich schätze, daß sie sich (im Kreml) an jene Tage erinnern, da wir mit den Kommunisten bei uns Gewerkschaftsprobleme hatten und ich stand, aus ihrer Perspektive, auf der falschen Seite.»

Der Verlust von China an die Kommunisten, der Korea-Krieg, die erste Berlin-Krise, die ungarische Revolte von 1956 – jedes außenpolitische Ereignis von Rang verstärkte Reagans Glauben an die zentrale Steuerung der Weltgeschichte durch den Kommunismus. Politik, so schien es ihm, hatte ein einziges Expansions- und Kraftzentrum, und er vermutete es in Moskau. Die Fünfte Kolonne war überall. Reagan glaubte an die Realität der Verschwörung.

Verschwörungstheorien sind Produkte der Aufklärung. Zugrunde liegt ihnen die Vorstellung von der Machbarkeit der Geschichte. Diesen Glauben teilen die Verschwörungstheoretiker mit dem Marxismus. Daß in der Tat angewandte Verschwörungstechniken die amerikanische Parteienlandschaft prägten, steht außerdem fest. Die im 19. Jahrhundert eingewanderten Iren hatten das zentralistische «Boß-System» ihrer konspirativen republikanischen Bruderschaften nach Amerika mitgenommen und erfolgreich angewandt, als es galt, die Parteimaschinerien von San Francisco, Chicago, New York und Boston zu erobern. Mehr noch: Irische Rebellen von 1848, zumal die Großväter der Terrororganisation Irisch Republikanische Armee, hatten derlei Verschwörungs- und Geheimtechniken in Paris gelernt, beim Meister der europäischen Polit-Konspiration, bei Louis Blanqui.

Es war dem irischen Amerikaner Ronald Reagan vorbehalten, den Glauben an die Wirklichkeit der Konspiration bis ins Weiße Haus zu tragen. Libyens Staatschef Gaddafi, so ließ er wenige Monate nach seinem Amtsantritt verkünden, habe ein Hit-Team nach Amerika entsandt, ihn zu ermorden. Es muß sich verlaufen haben. El Salvador ist für Reagan ein von Moskau geschürter Krisenherd. Und schon 1964 hatte er den Demokraten in Washington zugerufen: «Diejenigen, die unsere Freiheit gegen soziale Sicherheit eintauschen wollen, haben den Weg in den Abgrund des (kommunistischen) Totalitarismus betreten.» Die Antikommunisten führten einen scharfen, kompromißlosen, moralischen Ton in die politische Debatte ein, und Ronald Reagan hat ihn nie verlernt.

Doch Amerikas politische Stärke lag zwei Jahrhunderte lang in der Fähigkeit zum parlamentarischen und ideellen Kompromiß. Mit der rechtsextremistischen, antikommunistischen Debatte der Nachkriegszeit begann indes, in den Worten des Harvard-Gelehrten Daniel Bell, «die Ideologisierung des politischen Lebens in Amerika. Der zwanghafte moralische Eifer stammte aus der Identifizierung von ‹Sünde› und ‹Kommunismus›. Während wir in Gebieten der traditionellen Moral immer lässiger wurden, wurden wir in der Politik moralistisch und extrem.»

Die Unbeirrbarkeit des Antikommunismus verleiht dem Besitzer ein Gefühl von Gradlinigkeit, frommer Männlichkeit und christlicher Charakterstärke: Hier stehe ich, Ronald Reagan, und kann nicht anders.

Dem neuen inneren Selbstverständnis paßte er später – als Grundbesitzer in den Santa-Monica-Bergen – das einzig mögliche Außenbild an: Er verkleidete sich fortan als Cowboy, Amerikas gute alte Macho-Maske aus der Zeit Teddy Roosevelts.

Der Mann, der als Filmdarsteller alltäglich Mimik, Gebärden, Diktion und Charakter wechseln mußte, der einst seine sichere Heimat gegen eine Stadt notorischer Wurzellosigkeit eingetauscht hatte – dieser Mann besaß nun im Geschmetter des Antikommunismus, im Gepränge seiner national-amerikanischen Rhetorik eine neue, zufriedenstellende Identität. Die Frage seiner Autobiographie – «Wo ist der Rest von mir?» – erledigte sich gewissermaßen von selbst: Der Rest war rechts.

Ronald Reagan kam im Gefolge der antikommunistischen Hexenjagd als Extremist zu sich, und die schwierige Aufgabe von politischen Werbeagenturen war es fortan keineswegs, den Mann zu erfinden, sondern ihn zu verschleiern. Denn Amerika hat in Wirklichkeit keinen Geschmack an politischen Extremisten. Und als Extremist wurde Reagan in einem internen Memorandum von seinem ersten Marketing-Team, Stuart Spencer/Bill Roberts, bezeichnet.

Ronald Reagans Filmstern war bereits 1954 verglüht. Die Rettung vor einer Laufbahn als Varieté-Entertainer in Las Vegas kam vom Großkonzern General Electric (GE). Für eine Jahresgage von 125 000 Dollar, dann 150 000 Dollar, trat er als Ansager und Darsteller eines respektablen, wöchentlichen TV-Dramas auf. Darüber hinaus hielt er in den nächsten acht Jahren ungezählte Reden vor allen 250 000 GE-Mitarbeitern in 139 Elektro-Fabriken: Toaster, Birnen, Küchenherde, so weit das Auge reichte.

Reagan reihte sich dank der TV-Auftritte in die neue Klasse der Celebrities ein, nationaler Berühmtheiten, die für ihre Berühmtheit berühmt sind. Seine Reden zur politischen Ermunterung der Angestellten und Fließbandarbeiter addierten sich zu einer konservativen Verklärung der Vereinigten Staaten und, natürlich, zum Antikommunismus. Reagan: Die Zuhörer waren zwar «intelligent, aber ich war sehr verblüfft, wie wenig sie von den Unterwanderungstaktiken des Kommunismus wußten». Zu diesem Zeitpunkt waren echte Kommunisten in Amerika bereits sehr selten; die KP der USA existierte wohl nur noch kraft der Mitgliedschaft von FBI-Agenten.

Reagans zweite Ehe mit der erfolglosen Filmdarstellerin Nancy Davis hat den bemerkenswerten Rechtsrutsch Reagans – allen Legenden zuwider – nicht bewirkt. Der Zugang seiner Frau zur Politik scheint beschränkt. Es dauerte noch ein Jahrzehnt, ehe der Demokrat Reagan seine Parteiregistrierung offiziell wechselte und zu den Republikanern überlief. Freilich hatte er schon 1960 für Richard Nixon und gegen John F. Kennedy gestimmt – wie er zuvor auch keinen Hehl daraus machte, daß er den Republikaner Dwight D. Eisenhower unterstützte.

Die entscheidende äußere Wende in seinem politischen Leben fand am 27. Oktober 1964 statt: Reagan hielt auf Anregung einiger reicher Freunde in Los Angeles eine TV-Ansprache für den Präsidentschaftskandidaten Barry Goldwater. Sie dauerte 30 Minuten, und ihr Eindruck auf das Publikum war erstaunlich. Anders als der grimmige Goldwater, stellte sich hier ein lächelnder, angenehm wirkender Rechtsradikaler vor.

Die absehbare Wahlkampfniederlage des reaktionären Senators Goldwater aus Arizona gegen Lyndon B. Johnson öffnete schließlich den Weg des Schauspielers Reagan zur nationalen republikanischen Prominenz. In Los Angeles bildete sich ein Komitee rechtskonservativer Millionäre: «Freunde für Ronald Reagan». Ihr Motor war Holmes P. Tuttle, führender Ford-Händler von Los Angeles.

Zu Tuttle stießen A. C. Rubel, der inzwischen gestorbene Vorstandsvorsitzende der Union Oil Company, und Henry Salvatori, ein tüchtiger Waffen- und Ölmagnat. Mit von der Partie waren Film-Mogul Jack Warner; der Plantagenbesitzer und Superpatriot Walter Knott; der Industrielle Justin Dart; John A. McCone, CIA-Chef unter Kennedy und Johnson; der Reifenfabrikant Leonard Firestone und viele andere aus dem Neureichen-Milieu von Südkalifornien.

«Einige sind inzwischen gestorben», seufzte Robert Garrick, ein kalifornischer Lobbyist der Bierfirma Anheuser-Busch: Er hatte Reagan als PR-Berater der US-Marine («Sitzt die Uniform richtig?») bei Filmarbeiten kennengelernt und sollte später mit ihm ins Weiße Haus ziehen. Konnten die reichen Kalifornier Goldwater 1964 auch nicht zum Präsidenten machen, so doch Reagan zwei Jahre später zum Gouverneur von Kalifornien. «Reagan ist der Mann, der unsere Prinzipien dem Volk verkünden kann», erklärte Erdöl-Boß Rubel später einmal dem Reporter Lou Cannon.

Was das für «Prinzipien» waren, erläuterte der Reagan-Mäzen Henry Salvatori den Autoren Joel Kotkin und Paul Grabowicz («California Inc.»): «Nichts ist heute heilig, nichts ist verboten, das ist doch das amerikanische Problem! Wir brauchen einen Konsensus. Wir müssen die Sozialordnung neu formieren. Bisher haben die Menschen immer nur von mehr Rechten und mehr Freiheiten geredet. Aber wir haben entdeckt, daß Chaos das Ergebnis ist, wenn man den Leuten freie Hand gibt. Nein, moralische Tugenden lassen sich nicht wiederherstellen. Wir müssen vielmehr die ganze Gesellschaft neu gestalten und einen Mindeststandard für Respekt und Ordnung wiedereinführen. Offen gesagt, wir brauchen einen autoritären Staat. Keine Diktatur, mehr nach Art von de Gaulle. Wir müssen das Business retten; denn diese Nation ist das Licht der Welt.»

Das ist die Sprache des kalifornischen Pseudokonservatismus, die Angst der Bedrängten und der nationalen Neurose. Es ist auch die Sprache von Ronald Reagans privatem Justemilieu. Zwar wurde das kalifornische «Küchenkabinett» der Tuttle und Salvatori schon 1981 aus dem Weißen Haus ausquartiert – doch privaten Zugang zum Präsidenten haben die Millionäre allemal.

Salvatori, in Rom geborener Sohn italienischer Einwanderer – sein Vater verkaufte Gemüse in Philadelphia –, war wie die meisten der Freunde Reagans und wie Reagan selbst in den dreißiger Jahren nach Kalifornien gezogen. Ihre kalifornische Statusfindung rief nach höherer Bestätigung. In den Worten des Soziologen Daniel Bell: «Sie brauchten eine seelische Gewißheit, daß sie ihren Reichtum mit eigener Kraft verdient und nicht etwa dank Regierungssubventionen angehäuft hatten. Und sie fürchteten, daß Steuern sie ihres Wohlstandes berauben würden.»

Im Falle des engen Reagan-Freundes Walter Annenberg wäre das praktisch unmöglich. Der kalifornische Verleger besitzt mehr als die meisten Gesinnungsgenossen um den Präsidenten zusammen – und er zeigt es. Die britische Königin durfte während ihres Kalifornien-Besuches im Frühjahr 1983 das «Sunnylands»-Landhaus des ehemaligen US-Botschafters besichtigen: Im 350 Quadratmeter großen Atrium der Residenz fiel ihr keuscher Blick auf eine weiße Marmorreproduktion von Rodins Skulptur «Der Kuß». Gegenüber dem zweifelhaften Kunstwerk hängt im nächsten Raum das kulturell Gesicherte: van Gogh, Picasso, Monet, Gauguin, Cézanne, Bonnard, Manet – der reiche Sammler ist keine Risiken eingegangen. Sein Innenarchitekt Ted Graber hat auch Nancy Reagan bei der Umdekoration des Weißen Hauses geholfen.

Annenbergs Residenz liegt auf dem privaten Golfplatz (200 Acre), abgelegen von der Wirklichkeit; und verletzt ein Spieler den teuren Rasen, dann eilt ein Gärtner herbei und deckt die braune Erde mit einem Ersatzflecken Natur wieder zu. Wer erinnert sich in diesem Luxus schon der Tatsache, daß Walter Annenberg zusammen mit seinem Vater im Jahre 1939 wegen Steuerhinterziehung angeklagt war?

Die meisten unter Reagans Dollar-Clan lehnen allerdings öffentliche luxuriöse Selbstdarstellungen im Stil der alten amerikanischen Geldaristokratie ab. Sie waren Kinder der Depression, des kleinen Anfangs. «Statt dessen ziehen sie es vor, ein Fernsehprogramm für (den Kommunistenjäger) Joe McCarthy zu kaufen», schrieb einst der Soziologe David Riesman («Die einsame Masse») über die neureichen Rechten, die ihren Status nicht mit Rennpferden, sondern mit Politikern signalisieren. Das ging, der Fall Murphy zeigt es, nicht immer gut.

George Murphy, Hollywood-Steptänzer und der erste Filmschauspieler im US-Senat, wurde auch deshalb nicht wieder gewählt, weil er einen Technicolor-Beratervertrag über 20 000 Dollar trotz seiner neuen Verantwortung in Washington heimlich abkassiert hatte. Sein Mäzen, der ehemalige Technicolor-Konzerndirektor Patrick J. Frawley jr., bewährte sich auch als Finanzier der ersten Reagan-Wahlkampagne. Frawley hat jeden antikommunistischen Kreuzzug Südkaliforniens gefördert – jährlich flossen hunderttausend Dollar in rechtsextreme Anliegen.

Die Neo-Millionäre von Südkalifornien fühlten sich wie Amerikas letzte Pioniere. «Texas und Südkalifornien sind die Regionen, wo trotz rasant anwachsender Stadtbevölkerung die Illusion gepflegt wird, ländliche Frontier zu sein», Grenzland im Stil des Wilden Westens, notierte einst Talcott Parsons, Amerikas einflußreichster Sozialwissenschaftler jener Jahre.

Für die Business-Pioniere dieser Region halten Politiker wie Reagan noch heute die Tugenden des ungezähmten Kleinstadt-Individualismus hoch. Doch der Politikwissenschaftler Sheldon Wolin erkannte ihr Dilemma: «Während die konservativen Propagandisten den amerikanischen Individualismus, die Vorteile der Provinz, des sonntäglichen Kirchgangs und die alten Kleinstadttugenden verherrlichten, waren konservative Bankiers, Geschäftsleute und Konzernherren damit beschäftigt, die örtlichen Zentren von ihrer angestammten Autorität zu entkleiden und ihre Herrschaft aus dem Land der kleinen Läden und Bauernhöfe in die Metropolen zu verlagern.»

Nirgends ging das schneller voran als im amerikanischen Süden und Westen – wo die Rechtsanwälte mit Gallonenhüten, die Konzernherren mit Freizeit-Jeans den rustikalen Stil der Vergangenheit imitieren. «Mit Reagan», sagt Harry Kreisler, ein Politologe der Berkeley-Universität, «sind atavistische Sozialgruppen an die Macht gelangt, deren Zeit eigentlich schon vorüber war.»

Die Verwandlung des Ex-Schauspielers und PR-Redners

Ronald Reagan in einen respektablen Politiker, der dem kalifornischen Gouverneur Edmund G. «Pat» Brown im Wahlkampfjahr 1966 Paroli bieten konnte, dauerte fast zwölf Monate. Die politische Werbeagentur Spencer-Roberts lieferte ihre Ware Reagan einem Designer-Team aus, den Verhaltenspsychologen Stanley Plog und Kenneth Holden. Deren Firma Basico hatte bislang betriebspsychologische Industriearbeit geleistet.

Mit einem Stab von 31 Sozialwissenschaftlern, Demoskopen und Therapeuten aller Art veränderte sie das Erscheinungsbild und die politisch-rhetorischen Fertigkeiten ihres Kandidaten. «Der eiskalte Professionalismus (von Spencer-Roberts) macht frösteln», kommentierte damals die *New York Times* Ronald Reagans kalifornische Metamorphose in einen tragbaren Rechten.

Auf Karteikarten schleppte der Kandidat sein Fachwissen mit sich. Kritische Journalisten mied er. Ein Mann, dem mehrere Dutzend Experten monatelang klarmachten, daß er ein politischer Novize sei und wenig wisse, ja, langsam lerne – der entwickelt ein dringendes Bedürfnis nach bestätigenden Jasagern und Kritiklosigkeit. Beides umgibt ihn heute im Weißen Haus wie einst in Kaliforniens Gouverneursamt.

Ronald Reagans erster politischer Gegner, Pat Brown, war ein moderater Demokrat, der dem Staat Tausende neuer Highway-Meilen, ein 1,6 Milliarden Dollar teures Bewässerungssystem, zahlreiche neue Colleges und Universitäten und ein eng geknüpftes soziales Netz beschert hatte. Die Wähler aber waren seiner persönlichen Langweiligkeit überdrüssig geworden. Er sah aus wie ein übermüdeter Bäcker.

Das Fernsehzeitalter hatte längst begonnen, Brown war das Fossil einer Epoche politischer Professionalität. Meinungsumfragen ergaben, daß die Zahl derjenigen Kalifornier, die sich als «konservativ» bezeichneten, ständig wuchs (1964: 32 Prozent; 1969: 42 Prozent). Reagan paßte in den Trend, wenn er ihn nicht förderte: «Er schuf sich seine politische Mehrheit, indem er absichtlich die gesellschaftlichen Minderheiten – Gelbe, Schwarze, Arme und Studenten – vor den Kopf stieß», kommentierte ein Beobachter der kalifornischen Szene.

Die dicke, aber uninteressante *Los Angeles Times* half ihm bei dem Geschäft – nicht durch Parteinahme, sondern durch ein anhaltendes Desinteresse an den Problemen des Staates. Als 1965 das schwarze Getto Watts explodierte – 34 Tote, Millionen Dollar Schäden –, da wußten die meisten Leser des Blattes nicht, wo dieser Stadtteil von Los Angeles eigentlich liegt.

Gefragt waren damals wie heute Gemütspolitiker, Männer, die ihre Wähler nicht mit Sachzwängen, Problemen und Notwendigkeiten belästigten, sondern die Gefühlsakkorde anzuschlagen verstanden – ansehnliche Emotionskünstler in einer Öffentlichkeit, die vom täglichen Fernsehmenü intellektuell verstopft ist. An den Universitäten rumorte es. Reagan lieferte die neuen Ressentiment-Stichworte: Pornographie, Rock'n'Roll und Kommunismus auf dem Campus von Berkeley.

Der kalifornische Journalist Curt Gentry faßte die Wahlkampftaktik der Republikaner von 1966 zusammen: «Wären sie einfältig gewesen, dann hätten Spencer und Roberts gesagt: Den alten Reagan gibt es nicht mehr, er hat sich verändert. Unser Mann ist kein Extremist mehr. Und so hätten sie die Aufmerksamkeit auf die Anschuldigungen der Opposition gelenkt. Statt dessen wählten sie das ‹Medium als Botschaft›. Reagan war so oft auf dem TV-Schirm wie möglich. Er redete nicht wie ein Extremist. Er sah auch nicht so aus wie ein Extremist. Das Bild war mehr wert als tausend Worte.»

Ronald Reagan besiegte Brown mit 993 739 Stimmen Vorsprung. «Dies ist ein Traum», hatte er in seiner ersten Wahlkampfrede gesagt, «so groß und golden wie Kalifornien selbst.»

Die Wende im Leben Ronald Reagans war damit abgeschlossen, seine politische Überzeugung fest arrangiert, sein

Antikommunismus in Zement gegossen. Reagan war und bleibt das logische Produkt einer bestimmten Phase in der Geschichte Kaliforniens; er ist ein Ideologe, der aus dem profunden Schatz amerikanischer Mythologie und politischer Erfahrung nur die simpelsten Versatzstücke bewahren will: Individualismus und Antikommunismus.

Seine Ängste und seine Rhetorik berührten die Mittelstandswähler, die in einem Netz von Pensionen, Renten-, Krankheits- und Arbeitslosenversicherung sorglos lebten, aber der alten Illusion Tribut zollten, daß in Amerika jeder, der etwas riskierte – am besten sich selbst -, vorwärtskomme. Das war der ökonomische Begriff amerikanischer Freiheit. Dieser Selbsttäuschung gab Reagan die schönsten Worte, da er ihr selbst als einer der ersten unterlag.

In Südkalifornien, in Hollywood, war er alt geworden, Film und Fernsehen hatten ihn «gemacht». «Ist es nicht verdammt übel», sollte Richard Nixon später einmal sagen, «daß das Schicksal eines ganzen Landes von Kameraeinstellungen abhängt?»

Seine achtjährige Tätigkeit als Gouverneur hat Reagan nicht verändert – ebensowenig wie er Kaliforniens Wechsel zur konsumorientierten, permissiven Gesellschaft mit einer der höchsten Kriminalitätsraten, mit Abtreibungen en masse, mit steigendem Rauschgiftkonsum und Alkoholismus, mit wachsender Gettoisierung der Minderheiten verhindern konnte. Gouverneur Ronald Reagan kam um neun Uhr und ging um 17 Uhr. Niemand vermißte ihn vorher oder nachher. Er war ein Landesvater, der bei näherem Hinsehen keinen Finger für die Bedürftigen, die Sozialhilfeempfänger und die Schwarzen krümmte. Seine Berater, die William Clark, Edwin Meese, die Caspar Weinberger und Michael Deaver, hielten ihn fern von der Wirklichkeit.

Seine Bewerbung um die Präsidentschaft 1976 scheiterte an der Nominierung Gerald Fords. Den Kampf gegen Jimmy Carter gewann er vier Jahre später gemäß den Rezepten, die Kaliforniens PR- und Wahlmanager zuvor zusammen mit ihm entwickelt hatten.

Seine Image-Probleme blieben die alten. In einem Memorandum warnte Richard Wirthlin, Reagans Demoskop, den Kandidaten: «Wir können davon ausgehen, daß der Gegner Ronald Reagan als einen simplen, erfahrungslosen Anfänger schildern wird (dumm), als einen Mann, der absichtlich Tatsachen verdreht, um seine eigenen Leistungen zu rühmen (betrügerisch), und der, einmal zum Präsidenten gewählt, nur zu eifrig sein wird beim Versuch, unser Land in einen nuklearen Holocaust zu verwickeln (gefährlich).»

Der Kalifornier im Weißen Haus will keinen Krieg. Er ist weder dumm noch betrügerisch. Sein einziges Problem ist allerdings kraft seines Amtes das Problem der ganzen Welt: Er glaubt, den amerikanischen Schlüssel zur Weltgeschichte, zur Verteilung der Macht und zur Gerechtigkeit auf Erden in den Jahren gefunden zu haben, da Hollywood die Kommunisten das Fürchten lehrte – mit christlicher Moral, mit Berufsverbot und aufgeblasenem Patriotismus. Doch als Erfahrungsgrundlage für die Weltpolitik reicht derlei nicht aus, als Handlungsmaxime für eine mögliche nukleare Krise ist es gefährlich.

Ronald Reagan, der sich heute im Weißen Haus vom Geheimdienst CIA mit zwanzigminütigen Kinovorführungen über den Stand der ausländischen Dinge unterrichten läßt, hält die Welt womöglich für einen Film. Würde der Streifen einmal in einem Atomkrieg reißen, gäbe es niemanden mehr, der ihn kleben könnte.

4
«Die Multis ergreifen vom Staat Besitz»

Die Business-Kultur Kaliforniens

Die Luft ist braun. Augen tränen im Smog. Ein kalifornischer Sommertag auf der South Hope Street, der südlichen Hoffnungsstraße im hochhausverstellten Geschäftszentrum von Los Angeles.

Eisig schön sind die Banken und Ölkonzern-Hauptquartiere. Kleine Wasserfälle vor Panzerglas- und Marmorportalen täuschen eine idyllische Natur vor, die es hier nie gegeben hat. Beliebige Stahlskulpturen symbolisieren die Last westlicher Kulturverpflichtung. Junge Bankangestellte in schwarzen Anzügen sehen aus wie eifrige, noch stellvertretende Zirkusdirektoren. Morgen schon sind sie unentbehrlich – wie Kalifornien bereits heute für Amerika.

«Seit den späten sechziger Jahren löst sich die Volkswirtschaft der Vereinigten Staaten langsam auf», schreibt der Harvard-Gelehrte Robert Reich in einer aufsehenerregenden Studie («The Next American Frontier»). «Der wirtschaftliche Niedergang zeigt sich in wachsender Arbeitslosigkeit, immer mehr Konkursen und sinkender Produktivität.» Aber nicht in Kalifornien – das hat der Gelehrte wohl übersehen.

Im Musterländle des Postindustrialismus (65 Prozent aller Kalifornier arbeiten im Dienstleistungssektor), im Kraftzentrum der westlichen Hoch- und Waffentechnologie ist alles anders: reicher, mobiler, innovativer, rücksichtsloser und erfolgreicher. Nicht nur in Japan, dessen Elektronik-Ingenieure als Diebe von Betriebsgeheimnissen auf Männerklos und anderswo in der Computerregion Silicon Valley verhaftet werden, sondern auch an Amerikas Pazifikküste führt das kapitalistische System seine gute alte Unverwüstlichkeit vor. Der Weltprofitgeist haust im Computerchip.

Tom Graves leitet die Abteilung «Volkswirtschaft» der Security Pacific National Bank in der Hope Street (Jahresgewinn 1982: 234,3 Millionen Dollar): «Kalifornien», sagte er, «fährt schneller aus der Wirtschaftssohle als der Rest der Nation, und im nächsten Jahr geben wir Gas.»

Hier ist die Arbeitslosigkeit (neun Prozent) vor allem eine Funktion der anhaltenden Zuwanderung (jährlich 250 000 Neukalifornier), weniger der Marktschwäche im Baugewerbe (dessen Auftragsvolumen bereits 100 Prozent über dem des Vorjahres liegt) oder anderer Sektoren.

Larry Kimbell, ein überarbeiteter, computerversierter Nationalökonom der University of California in Los Angeles, sieht eine wohlstandsüberglänzte Zukunft voraus: «Das kalifornische Bruttosozialprodukt wird zwischen 1983 und 1986 um 14 Prozent wachsen», sagt er. 1985 würde es dann die ökonomische Leistungskraft Großbritanniens übertreffen und an achter Stelle der Weltwirtschaftsliga liegen.

Schon 1983 verfügen die 11,5 Millionen Amerikaner im 60-Meilen-Umkreis von Los Angeles über ein durchschnittliches Pro-Kopf-Einkommen von 14 000 Dollar – das sind rund 18 Prozent über dem US-Durchschnitt, übertroffen nur von der Schweiz sowie den Vereinigten Arabischen Emiraten, Katar und Kuweit, Ölstaaten alle drei. Derlei Hochglanzstatistik hat ihre Ornamente: 60 Prozent aller US-Importe der Autofirma Ferrari laufen in Kalifornien.

Und die Statistik hat ihre Geheimnisse: Im schwarzen Getto von Watts, wo die Narben des Aufstands von 1965 noch nicht verheilt sind, beträgt die Arbeitslosigkeit 40 bis 50 Prozent. Eine proletarische Reservearmee von über zwei Millionen, zum Teil illegalen, mexikanischen und salvadorianischen Gastarbeitern lebt allein in Los Angeles.

Im kalifornischen Ingenieurparadies zwischen Reiß- und Surfbrett blüht die neue Bourgeoisie, eine Verhaltensavantgarde der amerikanischen Nation: Sie lebt auf Kredit. Banken gibt es überall, allein die Bank of America hat fast 1100 kalifornische Filialen: An ihren Schaltern wird Lebensqualität definiert.

«Die Faustregel lautet: Wohin man geht in Kalifornien – wo eine Kirche ist, ist auch ein Schnapsladen und eine Bank», sagt Josef Wahed. Er ist ein Vizepräsident der ersten Wildwest-Bank Amerikas, Wells Fargo (Jahresgewinn 1982: 138,6 Millionen Dollar). Der Erfolg Kaliforniens, meint er, erkläre sich aus «Mobilität, Spezialisierung und Verteidigungsausgaben. Ohne den Pentagon-Dollar wäre die kalifornische Rezession schärfer verlaufen. Unser Vorteil ist es außerdem, neu zu sein. Das ist alles.» Nicht ganz – der größte Vorteil des kalifornischen Wirtschaftsmilieus gegenüber anderen US-Staaten und Ländern ist nicht materieller oder historischer, sondern ideologischer Natur: Kapitalismus ist hierzulande eine heitere Selbstverständlichkeit.

Kalifornien ist reich, Kaliforniens Arbeiter und Angestellte sind fleißig, seine Industrie ist produktiv und insofern von kapitalistischer Tadellosigkeit – ungefordert durch Gewerkschaften, kaum gebremst von Regularien, Platzmangel oder Phantasielosigkeit.

Im amerikanischen Streit zwischen Politik- und Business-Kultur hat der örtliche Geschäftsgeist obsiegt. Als vor zwanzig Jahren ein Waldliebhaber in einem Privatforst einen der wohl ältesten und größten Bäume Amerikas entdeckte, da fällte der Besitzer – ein Holzkonzern – das profitable Naturwunder schnell, ehe es geschützt werden konnte. Es war ein Triumph der Business-Kultur.

Die politische Kultur Amerikas hingegen – das ist die zerbrechliche, philosophische Erblast der Nation. Freiheit, Gleichheit, Gerechtigkeit, so hießen die revolutionären Forderungen des amerikanischen 18. Jahrhunderts. Die Nationengründer retteten sie in einem Netzwerk gesellschaftlicher Institutionen und Gesetze. Diese garantierten parlamentarische, öffentliche Herrschaftskontrolle und richterliche Einhaltung der Gründungsideale. Vom Ende des 19. Jahrhunderts an erweiterten gesellschaftliche Reformbewegungen den politischen Kulturanspruch Amerikas auf staatliche Wohlfahrt und soziale Daseinsfürsorge, auf Bürgerrechte für Minderheiten, bessere Verbrechensbekämpfung, auf Umweltschutz und die Eindämmung kapitalistischer Monopole.

Moralisch geächtet war in derlei christlich beflügelter Politik der Jahrhundertwende der alte Antrieb der Business-Kultur: die Hoffnung auf Profit, ja, übermäßigen Reichtum. Kapitalistische Erfolgsfamilien wie Ford oder Rockefeller müssen sich noch heute in ihren Stiftungen als Philanthropen verkleiden.

Nullwachstum, hohe Grundstückssteuern, Siedlungsplanung, kostenlose Erziehung, Umweltschutz und dergleichen mehr – das sind sozialistische Sündenfälle in der Ideologie des kalifornischen Geschäftskosmos. Sein prominentester Prophet in den letzten zwei Jahrzehnten heißt Ronald Reagan. Der Mann, der als Schauspieler zum Millionär geworden war, stellt seine eigene Karriere als Beispiel amerikanischer Glückseligkeit aus: Freie Bahn dem Tüchtigen. Kalifornische Geschäftsleute, nicht etwa eine Partei, hatten ihn zum Propagandisten ihrer Lebensweise und Ideologie auserwählt.

«Ich sagte ihm, daß er der Mann sei, den wir brauchen», erinnert sich Holmes Tuttle, Ford-Automobilhändler in Los Angeles und Berater des Präsidenten. Reagan teilte den Zorn der Holzproduzenten über die unermüdlichen Umweltschützer Kaliforniens: «Da gibt es doch Grenzen des gesunden Volksverstands», sagte der Schauspieler-Politiker bei Gelegenheit, «ich meine, wenn man hunderttausend Hektar Wald gesehen hat – ein Baum ist ein Baum, wie viele mehr braucht man denn zum Anschauen?»

Die Forst- und Grundstücksbesitzer dankten Reagan später mit einem Wahlkampfbeitrag von 123 400 Dollar aus der Schatulle eines anonymen «Committee for Greater California».

Der Ingenieur Charles «Tex» Thornton, legendärer Mitbegründer des Litton-Rüstungskonglomerats mit Hauptsitz in einem schneeweißen Plantagen-Gutshaus in Beverly

Hills, hatte einmal gültig formuliert: «Wir setzen nicht nur auf das Wachstum, um im Geschäft zu bleiben, sondern auch, um eine virile, erregende Atmosphäre zu erzeugen. Wachstum heißt Fortschritt. Profit ist ja nur ein Motiv unter vielen. Viel mächtiger ist der Ansporn, Pionier zu sein.» Die Indianer sind die Roten.

Im Mythos des tapferen kalifornischen Wirtschaftspioniers, des virilen Risikoträgers an der Spitze des Konzerns ging freilich die Wahrheit verloren, daß Kaliforniens Wirtschaftsgeschichte auch ein schönes Beispiel für die Verträglichkeit von Staatsintervention und freier Marktwirtschaft darstellt. Ohne den Staat, ohne seine ursprüngliche Landgabe, seine Steuererleichterungen und Rüstungsmilliarden wäre Kalifornien noch heute eine Rinder-Idylle. So aber lebt Kaliforniens

▷ «Agribusiness» allein durch die größten, staatlichen Bewässerungswerke der Nation;
▷ Rüstungsindustrie mit einem zumeist vom Pentagon vergebenen Auftragsvolumen von derzeit jährlich 23 Milliarden Dollar;
▷ Elektronik-Industrie dank der Ideen aus staatlichen Universitäten.

Dies sind die drei Wirtschaftssäulen des Goldenen Westens: Jede einzelne ist so fabelhaft wie der ganze Staat.

Die Großbauern

Seit 35 Jahren ist Kalifornien der Spitzenreiter unter Amerikas Agrarstaaten. Seine Bauern sind von besonderer Art. Clarence Salyer zum Beispiel, ein Freund des Filmcowboys John Wayne, von seinen Arbeitern «Schieler» genannt, weil er ein Glasauge trug, war ein reicher Rancher im kalifornischen Ort Corcoran. Sein Besitztum, 65 000 Acre besten Bodens (Baumwolle, so weit das Auge reicht), ist heute 190 Millionen Dollar wert. Als im Jahre 1958 Pat Brown mit Salyers Geld zum Gouverneur von Kalifornien gewählt wurde, da stand der trunkene Großbauer in der dampfenden Bar des Fremont Hotel in San Francisco auf und grölte: «Gentlemen, Pat Brown ist vielleicht ein dämlicher Trottel – aber er ist *unser* Trottel.»

Land und Macht sind in diesem Staat so untrennbar wie vor hundert Jahren in Deutschlands ostelbischen Gebieten.

Salyers habsüchtige Söhne verdrängten später den mächtigen und jähzornigen Daddy im Dallas-Stil von der Riesenranch. 1982 half der Salyer-Clan, die Wahlkämpfe von 90 kalifornischen Abgeordneten zu finanzieren. Demokrat Willie Brown kassierte 3000, der siegreiche republikanische Gouverneur Deukmejian 50 000 Dollar.

Ein Gesetz, das die staatliche Bewässerung der Salyer-Latifundien gefährdet hätte, wehrten die Besitzer mit einer Lobby-Kampagne für 750 000 Dollar ab. Jimmy Carters Innenminister wurde mit Salyers Privatflugzeug zur Barbecue-Party eingeflogen. Kaliforniens Landlords sammelten für den Wahlkampf des Erdnußfarmers aus Georgia 150 000 Dollar; sein Gegner Reagan bekam mehr.

Ein Rechtsanwalt des (untereinander zerstrittenen) Salyer-Clans aus Corcoran, John Penn Lee, erklärte der *Los Angeles Times* (deren Besitzer noch viel größere Grundstücke horten): «Irgend jemand hat einmal gesagt, daß Geld die Milch der Politik sei. Nun, das stimmt.» In Kalifornien ist die Korruption von Politik öffentlich.

«Macht und Grundbesitz» ist der Titel einer Fleißarbeit des amerikanischen Bürgeradvokaten Ralph Nader und seiner jungen Reporter, die vor zehn Jahren feststellten, daß nur 257 Eigentümer mindestens 25 Prozent des kalifornischen Grundstücksmarktes in Stadt und Land beherrschten. Lediglich 19 Firmen besitzen 35 Prozent des Forstlandes. Ein korporativer Feudalismus beherrscht Kaliforniens Landwirtschaft. Mit einem Bruttoeinkommen von etwa 15 Milliarden Dollar übertrifft sie in diesem Jahr jeden anderen Industriezweig an der amerikanischen Westküste.

Dieser Gigantismus konnte schwerlich ohne Opposition bleiben. Großbauern wie der Ölmulti Tenneco (362 843 Acre), Southern Pacific Co. (2,14 Millionen Acre) und Standard Oil of California (306 000 Acre) provozieren den amerikanischen Konsumenten-Kohlhaas Nader: «Druck der Konzernfarmer auf die Kleinen, Isolation von Minderheiten, eine Sintflut von Insektengift, planlose Zersiedlung, private Aneignung von öffentlichem Reichtum, Komplizenschaft zwischen der Regierung und dem Landbesitz» – das alles seien die Erscheinungsformen des kalifornischen Agribusiness: «Die Multis ergreifen vom Staat Besitz.»

Das war freilich nichts Neues. Ob modische Multis, ob private Eisenbahngesellschaften oder bäuerliche Raubritter wie Clarence Salyer – sie hatten das Land bereits im letzten Jahrhundert mit Hilfe etablierter, nationaler Finanzriesen aufgeteilt. Sie waren es, die eine staatliche Bewässerung der steppentrockenen Täler Kaliforniens durchsetzten – ein kalifornischer «Hamburger» mit Pommes frites und Coca-Cola kostet heute den Produzenten 5888 Liter Wasser aus einer der mehr als 140 Talsperren des Staates –, und Großkonzerne allein konnten die hochtechnologische Ausrüstung der Spezialfarmen finanzieren.

Mandeln werden maschinell vom Baum geschüttelt (Ernte 1982: etwa 166 000 Tonnen für 328,5 Millionen Dollar); Erdbeeren werden von sensiblen Geräten gepflückt (1982: 275 000 Tonnen für 288 Millionen Dollar); Weintrauben fallen vom Rebstock auf die Fließbänder (1982: 2,3 Millionen Tonnen für 787 Millionen Dollar). Was Wunder, daß bei solchen Edelprodukten – von fünf Millionen Stück Schlachtvieh im letzten Jahr ganz abgesehen – der Wert der kalifornischen Krume zwischen 1977 und 1981 um 56 Prozent stieg: Ein Acre kostet hier durchschnittlich 1905 Dollar und liegt damit weit über dem US-Durchschnitt (795 Dollar).

Kaliforniens Landwirtschaft ist – auf dem Papier – gleichwohl verlustreich; sie steht, Opfer ihrer eigenen Produktivität und des Preisverfalls für Edelobst, mit neun Milliarden Dollar in der Kreide. Doch solche Schulden mögen auch ihren Sinn haben – als Verlustzuweisungen der Großkonzerne.

Grund und Boden sind als Abschreibungsobjekte nütz-
lich, schreibt eine Immobilienzeitschrift des Instituts für
Management an der Kalifornischen Universität Los Angeles. (Das wußte der Freizeitbauer Ronald Reagan. Als
steuerabschreibender Rindvieh-Halter zahlte er jahrelang
für seine weitläufige «Himmelsranch» bei Santa Barbara nur
eine reduzierte Grundstückssteuer.) Außerdem, so die Uni-
Jungmanager, «ist jedes Grundstück ein wahres Monopol
mit monopolistischen Vorteilen, die sich in Bargeld – zum
Beispiel dank monopolistischem Mietzins – umsetzen lassen». Die ehrliche Uni-Zeitschrift wird vom Ministerium für
Immobilien in Sacramento finanziert.

Auf marxistische Gesellschaftstheoretiker mag die juristi-
sche Form der kalifornischen Landwirtschaft empörend wirken; der wahre Skandal ist freilich ihr flurbereinigender,
Gemeinden abtötender, pseudosozialistischer Kolchosen-
Charakter. Die Monotonie und fabrikmäßige Einsamkeit
der Landwirtschaft ist hier so atemberaubend wie der großzügige Umgang mit Pflanzenschutzgiften: 1093 Personen er-
krankten 1981 an den Insektiziden – 293 Millionen Pfund
waren in jenem Jahr verspritzt worden.

Kaliforniens Landwirte in den Konzernhochhäusern von
San Francisco, San José, Los Angeles und San Diego fühlen
sich nicht zu Unrecht bedroht von der Mittelmeer-Frucht-
fliege, der Weißen Fliege und der Gypsy Moth. Die fleißige
Zigeunermotte, die bei uns Schwammspinner heißt, hat bereits 12,5 Millionen Acre amerikanischen Nutzwaldes kahl-
gefressen. Da hilft nur noch Gift. Doch mit den vergifteten
Insekten verschwanden die Vögel; über den kalifornischen
Feldern ist es still wie auf einem Friedhof.

Künstliche Bewässerung senkt allenthalben in Kalifornien den Grundwasserspiegel, und die Zeit ist vielleicht
nicht gar so fern, da die Konzern-Rancher, von bäuerlichen
Sehnsüchten nach familiärem Zusammenhalt des Erbes un-
belastet, ihre ausgepowerte Erde einfach brachliegen
lassen.

Noch aber sind die Großbauern da – und mit ihnen die

mexikanischen Landarbeiter. Die Ära, da ihr armseliges Schicksal die liberalen Leser des fernen *New Yorker* zum tapferen Boykott kalifornischer Weintrauben veranlaßte, ist allerdings vorüber. Mit klagendem Unterton schreibt die Security Pacific National Bank zur sozialen Lage auf dem Lande: «Kaliforniens Farmer sind den schärfsten Arbeitsschutzgesetzen Amerikas unterworfen.»

Tatsächlich ist die United-Farm-Workers-Gewerkschaft eine der bekanntesten (und kleinsten) der nationalen Gewerkschaften – sie hat ein Monopol auf Kaliforniens Farmen und kann selbst die Länge des Spatenstiels bestimmen. Gute Löhne lockten Mexikos verarmte Bauern an, doch die Gewerkschaftssiege der sechziger Jahre hatten die Automatisierung des Agrargewerbes beschleunigt: 90 Prozent aller Weinfelder in Mittelkalifornien werden maschinell abgeerntet; selbst für Rebenpflücker werden die Arbeitsplätze immer seltener.

Cesar Chavez, ein untersetzter, sechsundfünfzigjähriger Gewerkschafter, der vor zwei Jahrzehnten die mexikanischen Gastarbeiter wider das Anglo-Farm-Establishment zu organisieren begonnen hatte, erzählte einem *Esquire*-Reporter: «Wir leben in einer neuen Welt. Wir sind – endlich – eine Immigranten-Gruppe wie viele andere vor uns. Die Hispanics werden sich der Mehrheit anpassen. Ihre Familien werden kleiner, sie werden gebildeter sein, weitgereist, und ihre Wurzeln werden verloren gehen wie die Sprache. Was bleibt, sind Tacos und Tortillas», die Billigessen auf den Speisekarten der nationalen Imbißketten.

In Salinas, Geburtsort des Dichters John Steinbeck, bestimmen die Mexikaner das Straßenbild – und es ist ein Abbild amerikanischer Provinz. Am Freitagabend gleiten die großvolumigen, grell bemalten Chevrolets und Oldsmobiles der sechziger Jahre durch die Kleinstadt – motorisiertes Appetenzverhalten von US-Teenagern mit spanischen Namen. An den Verkehrsampeln laufen dann die Macho-Rituale der James-Dean-Epoche ab: Bei Grün beginnt die Autojagd zum nächsten McDonald's-Stand, wo die Mädchen auf Sieger und Verlierer warten, und die Eagles im Kofferradio spielen Rock'n'Roll wie eh und je.

Dennoch: Sehnsucht liegt wie ein schmerzhafter Bann über Kaliforniens ordentlichen Artischocken-, Salat-, Rosinen- und Baumwollstädten, Sehnsucht nach etwas ganz anderem. Dieses Andere aber wird sich niemals in Modesto, in Fresno, Salinas oder Merced einstellen.

War es nicht Fernweh, eine innere Unruhe, die vor 150 Jahren die ersten Amerikaner, später die vielen Deutschen, Italiener und Franzosen, die Iren und Holländer nach Kalifornien getrieben hatte? Von jener europäischen Rastlosigkeit zeugen heute noch die vielen breiten Straßen des Staates, lauter Fluchtwege nach nirgendwo. Doch weiter westlich geht es nicht.

Die Großrüstung

Weil die irdische Grenze des Kontinents an der Küste erreicht ist, hat sich der kalifornische Geschäftsgeist des Weltraums bemächtigt.

Kaliforniens Verteidigungsindustrie strebt zum Außerirdischen. David Packard, der Grand Old Man der kalifornischen Hochtechnologie: «Die Technik hat einen Stand erreicht, der es uns ermöglicht, ein ballistisches Raketen-Verteidigungssystem zu bauen, das absolut dicht wäre.» Die legendäre Firmengründung des späteren Stellvertretenden Verteidigungsministers, der Computerriese Hewlett-Packard, liegt in der Nähe der Stanford-Universität in Palo Alto. Hier und anderswo im Lande erforschen junge Ingenieure die mögliche Militarisierung des Weltalls.

Die Empfehlung zur Weltraumrüstung empfing der amerikanische Präsident Ronald Reagan von seinem Wissenschaftsberater George Keyworth, einem Schüler des ungarisch-kalifornischen Vaters der H-Bombe, Edward Teller: Mit Laserstrahlen aus Weltraumstationen und mit Satelliten-Partikelwaffen könnte man anstürmende russische Raketen im All abschießen.

Am 23. März 1983 malte der amerikanische Präsident der staunenden Nation die angeblichen Vorteile einer himmlischen Maginot-Linie aus: «Die Gemeinde der Naturwissenschaftler fordere ich auf – jene, die uns Kernwaffen gaben –, ihre begnadeten Talente der Sache der Menschheit und des Weltfriedens zuzuwenden: Baut uns die Geräte, jene Kernwaffen zu entschärfen und überflüssig zu machen.»

Kalifornier widmen sich längst dem hohen Ziel, zumal im backsteinroten Lawrence-Livermore-Laboratorium östlich von Oakland. Mehr als 40 Prozent des nuklearen US-Arsenals stammt aus Kalifornien; auch die Neutronenbombe wurde hier entwickelt. Edward Teller war es, der schon 1952 darauf gedrängt hatte, diese nukleare Forschungsstätte als Konkurrenz zu Los Alamos einzurichten, jener geheimen Pentagon-Anlage, wo zwischen 1943 und 1945 erst 60, schließlich 5000 Techniker, Physiker und Chemiker den Bau der ersten Atombomben bewerkstelligt hatten – allesamt Angestellte der kalifornischen Staatsuniversität.

Teller war im liberalen, von Selbstzweifeln geplagten Milieu der Physiker in Los Alamos unbeliebt. Seinem Lehrer und Kollegen Leo Szilard hatte er 1945 in zynischer Offenbarung seines Herzens geschrieben: «Vor allem will ich Dir gestehen, daß ich mich keiner Hoffnung hingebe, jemals mein Gewissen läutern zu können. So schrecklich sind ja unsere Forschungen, daß unsere Seelen weder durch Proteste noch durch politische Einmischungsversuche (von uns Physikern) gerettet werden können. Ja, wenn wir überhaupt eine Chance haben zu überleben, dann liegt sie in der Möglichkeit, Kriege schlechthin abzuschaffen.»

Also suchen noch heute 7420 Mitarbeiter mit einem jährlichen 577-Millionen-Dollar-Budget im Lawrence-Livermore-Labor nach der absoluten Kriegsschlußwaffe – und, nächster Schritt, nach deren Abwehr.

Die Laboranten haben bereits das vorrangige Energieproblem astraler Laserstrahlwaffen gelöst: «Wir werden die

Energie chemisch erzeugen», sagt ein Eingeweihter. Andere kalifornische Forschungsstellen (zum Beispiel die Labors der Hughes Aircraft Corporation) arbeiten seit Jahren an Laser-Killersatelliten. Im Jahre 1989 sollen die ersten Modelle einsatzbereit sein. Die jährliche Investition von 200 Millionen Dollar für das Projekt wird alsbald erhöht werden. «Der Kongreß ist uns gewogen», sagt Robert S. Cooper, Direktor der Waffenforschungs-Abteilung im Pentagon, «weil unsere Produkte sexy sind. Und sie funktionieren.»

Die technologische Verfeinerung des strategischen US-Arsenals könnte die amerikanische militärische Überlegenheit ins nächste Jahrtausend verlängern. In Kaliforniens Think-Tanks, in den Gehirnfabriken der Rand Corporation bis zum Hoover-Institut an der Stanford-Universität, klingt Reagans Aufruf zum technischen Fortschritt im Weltall darum wie eine frohe Botschaft. Einer hat sie besonders gern gehört: Albert Wohlstetter. Er ist einer der ersten amerikanischen Nuklearstrategen und Direktor von Pan Heuristic, einer der zahlreichen sicherheitspolitischen Forschungsgruppen Kaliforniens, die von industriellen und regierungsamtlichen Aufträgen leben.

Der berühmte Vordenker und ehemalige Berater des US-Verteidigungsministers Robert McNamara begrüßt die Sternenkrieg-Rede Reagans vom 23. März 1983: «Sie deutet auf einen fundamentalen Wechsel in der westlichen Sicherheitspolitik hin. Diese beruhte bisher auf der Drohung, (im Falle eines Krieges) unschuldige Zuschauer nuklear auszulöschen.» Statt dessen, sagt Wohlstetter, würden in Zukunft die amerikanischen Zivilisten verteidigt: Abschiednehmen hieße es darum von der atomaren Eskalationsstrategie, die die europäischen Bündnispartner vor einem Angriff der Warschauer-Pakt-Staaten geschützt hat. An die Stelle des wohlfeilen amerikanischen Nuklearschirms über der Alten Welt könnten die «gewaltigen Waffenfortschritte in nicht-nuklearer Technologie treten».

Der kalifornischen Verteidigungsindustrie käme der

Doktrinenwechsel gelegen: Europa müßte sich mit nicht-atomaren elektronischen Qualitätswaffen amerikanischer, meist kalifornischer Herkunft eindecken.

«Was aber geschieht mit unserer Wirtschaft, wenn plötzlich der Frieden ausbricht?» fragt sich Dan McCorquodale, ein liebenswürdiger Lokalpolitiker im kalifornischen Santa-Clara-Bezirk, wo die Firma Lockheed ihre seegestützten Trident-1-Langstreckenraketen zusammenbaut und wo Hewlett-Packard die dazugehörigen elektronischen Leitsysteme baut. Der Frieden, an den McCorquodale denkt, ist bisher nicht ausgebrochen, zum Glück von 1,65 Millionen kalifornischen Arbeitnehmern, die direkt und indirekt von der Verteidigungsindustrie des Staates, von mehr als 7700 kalifornischen Vertragspartnern des Pentagon in Lohn und Brot gesetzt werden. Im Gegenteil, es wird gerüstet.

In den nächsten vier Jahren gedenkt Ronald Reagan, rund 400 Milliarden Dollar für neue Waffen auszugeben. «Die Aussichten für die Rüstungsindustrie sind rosig», frohlockt eine Wirtschaftsstudie der Security Pacific National Bank in Los Angeles. Die inflationsbereinigte Wachstumsziffer des kalifornischen Rüstungsumsatzes liegt seit Reagans Amtsantritt bei acht Prozent.

Die Pentagon-Bonanza, vor zwei Jahren der staunenden Welt verkündet, sieht bis zum Jahre 1987 Verteidigungsausgaben von 1,9 Billionen Dollar vor. Das Verteidigungsbudget – 208 Milliarden Dollar für 1983 – soll 1987 rund 400 Milliarden Dollar betragen. Von dem Rüstungsdollar-Regen fallen zwischen 22 Prozent (1983) und 30 Prozent (1987) auf den Heimatstaat des Präsidenten: Kalifornien ist die Waffenschmiede der Nation.

Seymour Melman von der Columbia University in New York kritisiert den inflationären Impuls solcher Sicherheitsanstrengungen und meint: «Kalifornien mag ja Nutzen aus diesem Niagarafall von Bargeld ziehen; doch der Staat wird immer mehr ökonomisch sinnlose Produkte herstellen – technische Kunstwerke, die dazu beitragen können, die Menschheit auszulöschen.»

Das immerschöne südkalifornische Wetter hatte vor einem halben Jahrhundert die amerikanischen Luftfahrtpioniere an den Pazifik gelockt: Der Abenteuergeist der Konstrukteure Lockheed, Douglas und Ryan teilte sich in den zwanziger Jahren Hollywoods Filmindustrie mit. Waghalsige Stuntmänner zeigten der Nation, was ein Doppeldecker alles kann. Cecil B. deMille besaß eine Rundflugfirma in Hollywood, ehe er größere Gewinne als Monumentalregisseur einstrich.

Technisches Ingenium, gefördert von einem immer schon auf Praxis eingeschworenen Universitätssystem, und Kaliforniens risikofreudige Business-Kultur sind noch heute die Voraussetzungen der erfolgreichen Verteidigungs- und Raumfahrtindustrie. Der Zweite Weltkrieg, die Korea- und Vietnamkonflikte versorgten den Staat über die Jahre hinaus mit überdurchschnittlichen Wachstumsraten. Die waffentechnologische Infrastruktur Kaliforniens ist sechs Jahrzehnte alt und hat ihren Reifegrad noch nicht erreicht.

Amerikas strategische Kultur hat seit den unerhört grausamen Erfahrungen des Bürgerkrieges stets Wert auf einen mächtigen Waffenschild gelegt, der zwischen dem Feind und der eigenen Truppe, zumal den eigenen Stabsstellen liegt (in Vietnam zählten weniger als 15 US-Generäle und -Obristen zu den 54 000 amerikanischen Gefallenen). Doch die Material-Obsession des Pentagon hat dazu geführt, daß der technische Stand nuklearer und konventioneller Aufrüstung inzwischen die Evolution der amerikanischen Strategie diktiert – und nicht umgekehrt. Der Waffenfortschritt wird täglich in Kalifornien neu definiert (zum Beispiel im mysteriösen Lockheed-Projekt «Alternativer Kill-Mechanismus»). Nicht selten übertrifft der Stand der Technik die Phantasie der Pentagon-Strategen und die Handfertigkeiten der Truppe. Zum Gruseln ist er allemal.

Die MX-Rakete (Systemkosten: 26,4 Milliarden Dollar) der Firmen Aerojet General, Rockwell International, Northrop und TRW (alle in Kalifornien) war als reine Abschreckungswaffe vorgesehen. Fortschritte der computerisierten Zielfindung und Stationierungsprobleme verleihen dem Gerät – auch wenn es nur in hundertfacher Ausführung gebaut wird – kraft seines Zerstörungspotentials von mehr als 100 Hiroshima-Bomben die Charaktereigenschaften einer Angriffswaffe. Ihre zehn Sprengköpfe könnten ihre Ziele, das Parteibüro in Omsk, den Güterbahnhof in Tomsk, mit größter Präzision zerstören – «Sieg», in den Worten des Pentagon-Beraters Colin S. Gray, «ist möglich.»

Der Bau der Trident-U-Boot-Raketen der Lockheed-Missiles-Gruppe in Sunnyvale bei San Francisco (Systemkosten 7,9 Milliarden Dollar) versorgt nicht nur 21 000 Kalifornier mit Arbeit. Er legt zugleich eine Weltuntergangswaffe in die Hand von U-Boot-Kapitänen, über deren Auswahl und Qualität die amerikanische Öffentlichkeit nichts erfährt (und offensichtlich auch nichts erfahren will).

Keine strategischen, sondern rein ökonomische, wenn nicht gar humoristische Evolutionswunder stellen zwei andere kalifornische Rüstungsprojekte dar: Der «Bradley»-Schützenpanzer des ehemaligen Traktorfabrikanten FMC in San José (Systemkosten 13,4 Milliarden Dollar) soll den Vorgänger M-113 ersetzen, den die GIs schon in Vietnam gefürchtet haben. Doch der Bradley wird 1,94 Millionen Dollar kosten gegenüber 80 000 Dollar für den M-113. Er bietet nur sechs Grenadieren Platz und ist, weil aus Aluminium, für die Panzerabwehrwaffen der sowjetischen Infanterie ein Kinderspiel. Geplant sind 6882 Exemplare des Schützenpanzers; doch als das unhandliche Fahrzeug vor versammelten Generälen und Journalisten bei Fort Knox seine Schwimmfähigkeit vorführen sollte, versank es im Ohio River.

Als luxuriöses Beschäftigungsprogramm für 25 000 Kalifornier kann der Bau des prachtvollen Überschallbombers B-1B der Firma Rockwell International in El Segundo gelten (Systemkosten: 20,5 Milliarden Dollar). Die Experten scheinen sich darüber einig, daß das schöne Schwenkflügelflugzeug mit seinem strategischen Auftrag, unentdeckt in den sowjetischen Luftraum einzudringen, den Wettlauf verlieren wird, wenn die südkalifornische Firma Northrop ihre ersten radarunsichtbaren «Stealth»-Bomber vorgestellt hat. Die 100 bestellten, streng geheimen Luftfahrtwunder werden zwischen 20 und 56 Milliarden Dollar kosten.

Derartige Riesensummen sind großzügige Tribute an eine hypertechnologische Idee von Sicherheit, die der Direktor der Hughes-Raketengruppe, Malcolm Currie, auf die rhetorische Frage reduziert: «Sollen wir lieber unsere Soldaten mit Schleppschleudern ausrüsten?» Er versorgt sie lieber mit den Firmenprodukten Maverick, Phoenix, Amraam und Tow, lauter denkende Raketen für den Schönwetterkrieg.

Der promovierte Ingenieur Currie hat nach einer Hughes-Karriere als von Richard Nixon berufener Staatssekretär die Waffenbeschaffung und -entwicklung des Pentagon zwischen 1973 und 1974 bestimmt. Er ist, zu Hughes Aircraft zurückgekehrt, ein brillanter Repräsentant jenes militärisch-industriellen (kalifornischen) Komplexes, vor dessen unheilvollem Einfluß der scheidende Präsident Dwight Eisenhower vergeblich gewarnt hatte: «Unter dem Zwang, Gewinn zu machen, werden mächtige Lobbies auftreten und immer größere Rüstungsausgaben fordern. Und das Netz der Sonderinteressen wächst von Tag zu Tag.»

Ganz unverblümt erzählt ein Jahresbericht von Hughes Aircraft, «daß wir uns auch 1981 in verschiedenen Abteilungen des Verteidigungsministeriums und vor Kongreßausschüssen um den Abbau amtlicher Maßnahmen bemüht haben, die der Rüstungsindustrie schaden. Diese Anstrengungen zeigen erste Erfolge.» Die Hughes-Aircraft-Verkaufsziffern stiegen von zwei Milliarden Dollar (1979) auf mindestens fünf Milliarden (1983).

Malcolm Curries Konzern, von dem Exzentriker Howard Hughes gegründet (er entwarf auch einen Büstenhalter für den üppigen Hollywood-Star Jane Russell) und vor drei Jahrzehnten einer steuergünstigen «medizinischen Stiftung» überlassen, ist mit 64 000 Arbeitnehmern der größte Warenproduzent in Kalifornien überhaupt. Mit seinen 1500 Fabrikaten – von Panzerknackern bis zu Interkontinentalraketen-

Leitsystemen – «haben wir die Rezession gut überstanden» (so ein Sprecher von Hughes Aircraft).

Die Rüstungsfirma «geht dorthin, wo der Markt ist», zum Beispiel nach Bonn: «Wir arbeiten mit MBB, Telefunken und Siemens zusammen.» Oder, so ein Prospekt unter dem Vierfarbdruck eines Sternenbanners: «Die Flagge Amerikas, als Sinnbild der Freiheit in aller Welt verehrt, symbolisiert die Hingabe des Konzerns an den Abwehrkampf der Nation und ihrer Freunde.»

Freund Bundesrepublik Deutschland bemüht sich um den Nachbau von «Fire-Finder», einem tischgroßen Radargerät, das einfliegende Granaten erfassen und die Lage ihres Abschußortes exakt für den Gegenangriff berechnen kann. Derlei staunenswerte Fortschritte verdankt die Welt dem akademischen, technologischen Rüstungsklima von Kalifornien.

Malcolm Currie denkt ungern an die sechziger Jahre in Kalifornien zurück: «Da herrschte an den Universitäten ein sehr starkes antitechnologisches Gefühl. Die Leute wollten Soziologie und Anthropologie studieren. Das ist vorüber.» Mit 500 000 Dollar pro Jahr greift Hughes Aircraft derzeit technischen Uni-Projektgruppen unter die Arme – von geheimen Rüstungsaufträgen für die Hochschulen ganz zu schweigen. Den Sowjetkonkurrenten fühlt sich Currie, im Gegensatz zu Ronald Reagan, überlegen: «Ich habe mir jahrelang die russische Technologie angeschaut – das ist schon beeindruckend. Aber auf den meisten wichtigen Gebieten liegen wir vorn.»

Dafür zu sorgen, daß es so bleibe, ist auch die Aufgabe des führenden Hughes-Raketeningenieurs Maurer. Der weißhaarige Deutsche mit seiner kerzengraden Haltung hatte 1945 den Weg von Wernher von Brauns Raketeninsel Peenemünde nach Kalifornien gefunden. «Wir nennen ihn unseren Doktor Strangelove», lächelt ein Mitarbeiter von Hughes Aircraft – nach Peter Sellers böser Filmfigur, die den US-Präsidenten im Moment des Atomkriegs mit Hitler verwechselt.

Der Quantensprung in der elektronischen konventionellen Kriegführung, im Sommer 1982 von Israelis mit amerikanischen Geräten im Kampf gegen Syrien vorgeführt, «wird womöglich einige Kunden Moskaus, wie Peru und Irak, auf den amerikanischen Waffenmarkt ziehen», spekuliert die Zeitschrift *Business Week*. Zumal Kalifornien ist vorbereitet. Hier liegt das größte Arsenal der Welt, und die Handelsvertreter verlieren den Überblick: «Die Tow-Rakete haben wir an 29 – äh, nein, an 34 Länder verkauft», verbessert sich Malcolm Currie. «Die Maverick fliegt in 14 Nationen, und unsere Luftabwehr-Systeme stehen in aller Welt, Deutschland inbegriffen.»

Zwischen 1970 und 1980 stieg der US-Waffenexport von 1,8 Milliarden auf 17 Milliarden Dollar (gesamter Welthandel: 21 Milliarden Dollar) – Bilanz eines Geschäftsgeistes, den der Präsidentschaftskandidat Jimmy Carter einst «ebenso zynisch wie gefährlich» fand. «Moralischer Bankrott», sagte sein Vize Walter Mondale, «hat Amerika in die Waffenkammer der Welt verwandelt.» Doch einmal im Weißen Haus, genehmigte Carter unter anderem den Transfer von 60 F-15-Düsenjägern (4,8 Milliarden Dollar) gen Saudi-Arabien. Israel erhielt 75 F-16-Jagdbomber; Ägypten gab sich mit 50 F-5E-Jägern zufrieden. Iran war bereits bestens bedient: Der Schah hatte mit dem Eifer eines Zehnjährigen im US-Rüstungsladen McDonnell-Douglas-Hughes & Co. eingekauft. Zwischen 1970 und 1977 stieg das persische Verteidigungsbudget von 880 Millionen auf 9,4 Milliarden Dollar. Chomeini konnte kommen. 24 000 amerikanische Waffensystem-Betreuer waren schon da.

Als Carter abgewählt wurde, standen in den Auftragsbüchern der Waffenkonzerne genehmigte Exportaufträge für 43,5 Milliarden Dollar. Ronald Reagans kalifornische Administration öffnete, wie nicht anders zu erwarten, die Tore der Produzenten endgültig sperrangelweit. Anstelle der «Carter-Theologie», so Staatssekretär James L. Buckley im State Department, «setzen wir einen gesunden Sinn für Selbsterhaltung.»

Waffen wurden zur Scheidemünze der US-Außenpolitik. In den ersten drei Monaten seiner Amtszeit bot Ronald Reagan allen proamerikanischen Regierungen Rüstungshilfe für insgesamt 15 Milliarden Dollar an. Das war auch Arbeitsplatzsicherung für Kalifornien, Gewinnmaximierung für die Gesinnungsfreunde im Verteidigungsestablishment von Los Angeles.

Der Vorwurf der bestürzten Europäer, der neue Präsident habe kein außenpolitisches Konzept, trog. Seine Strategie entsprach vielmehr den Interessen der Rüstungskonzerne, dem Verfall amerikanischer Macht im Ausland mit dem wirtschafts- und militärpolitisch bindenden Instrument des Waffenexports entgegenzutreten: Statt Pakten ein elektronisches Pak-System; statt diplomatischer Allianzen militärische Alliierte. Dahinter steckte keine kalifornische Verschwörung. Es ging ganz offen zu: Die Business-Kultur obsiegte über politisch-moralische Traditionen Amerikas.

Der erste Gewinner des Waffenbooms heißt Northrop Corporation in Los Angeles. Sein Generaldirektor Thomas V. Jones, ein stets braungebrannter Prototyp des südkalifornischen Topmanagers, glaubt, daß die Verkaufsziffern seiner Firma von 2,47 Milliarden Dollar (1982) auf sechs Milliarden (1986) steigen können. Das Northrop-Auftragsvolumen lag 1983 bereits 24 Prozent über dem ersten Reagan-Jahr.

Auf der Edwards Air Force Base hinter den Hügeln von Los Angeles, umgeben von braungelber Wüstenlandschaft, zwischen Dornenbüschen und flachen Dünen, hat die kalifornische Verteidigungsindustrie ihre fliegenden Milliarden-Produkte versammelt. Hier steht der B-1B-Bomber, ein weißlackiertes Wunderwerk, elegant wie ein Seerochen, 400 Millionen Dollar teuer; neben ihm, winzig im Vergleich, eine F-18-«Hornet», und auf dem Parkplatz der Nasa jault ein Starfighter auf. Mit fast jedem der hier stationierten, weltweit verkauften Flugzeugtypen assoziiert der überwältigte Besucher eine Kette internationaler Bestechungsfälle.

Am östlichen Rand des Fliegerhorstes steht eine Großhalle der Firma Northrop. Hier wird getestet. Ihr kleiner, flinker und vergleichsweise billiger F-5-Jäger fliegt in 30 Ländern. Über 1250 Modelle sind bereits ausgeliefert, 1100 weitere Aufträge stehen zu Buche. Ein noch schnelleres, noch viel besseres und teureres Nachfolgemodell, F-20- «Tigershark», wird bald über die Spannungsgebiete der Dritten Welt jagen: Sein (unterlegener) Idealgegner ist die MiG-21.

Schon hat das Ölscheichtum Bahrein vier Tigershark nebst 60 Sidewinder-Raketen und zwei Trainingsflugzeugen bestellt (180 Millionen Dollar). Iran bedroht die Ölinsel mit seiner F-5-Luftflotte. Es bleibt alles in der Firma.

Jahrelang war Northrop eine südkalifornische Spezialität, ein Außenseiter im Pentagon-Kapitalismus. Der Konzern überlebte ohne nennenswerte Staatsaufträge (wenngleich sein Trainingsflugzeug T-38 für die Air Force flog). Der F-20-Jäger ist mit firmeneigenen Mitteln entwickelt worden.

Inzwischen überschwemmen aber Milliarden Dollar schwere Regierungsaufträge das braungetäfelte Hauptquartier in Los Angeles. Neben dem Stealth-Bomber wird Northrop auch das MX-Raketenleitsystem für 1,5 Milliarden Dollar entwickeln.

Doch der kalifornische Mythos von marktwirtschaftlicher Unabhängigkeit bleibt an der Firma hängen. «Northrops Autonomie», glaubt das Wirtschaftsmagazin *Business Week*, «paßt ganz vorzüglich in die Philosophie der Reagan-Administration.» Kein Wunder, denn man kennt sich gut. Northrop-Boß Jones ist einer der mächtigsten Männer der kapitalistischen Business-Kultur Kaliforniens.

Sein Lebensstil (Villa in Bel Air, Kunstsammler und Weinliebhaber) weist ihn aus als ortstypischen Aristokraten; sein Antikommunismus reiht ihn in das republikanische Establishment der warmen Region ein. Jones' politische Interessen offenbaren sich seit je in milden Gaben an die Parteien.

Zu den Empfängern von heimlich zugestellten Northrop-Geldern zählte auch Holmes Tuttle, Reagans enger republikanischer Freund der frühen Jahre. Ein anderer von Jones'

Bekannten ist Kermit Roosevelt: Für jährlich 75 000 Dollar stellte er einst «Geschäftskontakte zwischen Northrop und den höchsten Regierungsstellen im Nahen Osten her» (so ein Untersuchungsbericht des US-Kongresses). «Kim» Roosevelt war der richtige Mann am rechten Ort: Als CIA-Agent war er zugegen, als der amerikanische Geheimdienst Mossadegh in Persien stürzte und den geflohenen Schah wieder auf den Pfauenthron hievte. Später kaufte Resa Pahlewi 140 F-5-Düsenjäger aus der Northrop-Produktion.

Richard Nixon, der dem Schah mit Ausnahme der Atombombe alle Prunkstücke aus dem Pentagon-Depot anbot, gehörte, wie anders, ebenfalls zu den Nutznießern Thomas V. Jones': Im August 1972 überließ der Northrop-Boss einen Stoß von Hundertdollarnoten (zusammen 75 000 Dollar) dem Nixon-Intimus Herbert Kalmbach. Das Geld, so stellte sich heraus, landete in einem Geheimfond zur Verteidigung der Watergate-Einbrecher.

Jones wurde später wegen illegaler politischer Kontributionen zu 5000 Dollar Strafe verurteilt. Inzwischen ist er wieder obenauf. Einer Gruppe kalifornischer Bankiers erklärte der Northrop-Mann bei Gelegenheit die Theorie des höheren Waffenhandels: «Die Interessen sehr vieler Länder sind unentwirrbar mit den langfristigen Interessen Amerikas verknüpft. Die Notwendigkeit zur Selbstverteidigung ohne den Einsatz amerikanischer Truppen liegt für diese Länder auf der Hand. Deshalb sind Regierung und Kongreß der Vereinigten Staaten dafür verantwortlich, gewissen Ländern den selbstfinanzierten Zugriff auf passende amerikanische Verteidigungssysteme zu erlauben.»

Die Botschaft ist seit Nixons Präsidentschaft in Washington klar und deutlich vernommen worden: Die Reagan-Regierung zum Beispiel hat Northrops jüngstes Produkt, den Tigershark, für den Export in 42 Länder der Dritten Welt freigegeben.

«Thomas Jones», kommentiert der britische Journalist Anthony Sampson («Die Waffenhändler»), «behauptet, daß alles, was Northrop nützt, auch gut für Amerika sei.»

Kein Zweifel, daß die republikanischen Freunde der Firma in Washington das ebenfalls so sehen. Die Grenze zwischen politischer und geschäftlicher Kultur, zwischen Gewinn und patriotischen Gefühlen verfließt in der flimmernden Sommerhitze von Südkalifornien.

«Amerikas Sache ist Business», hatte Calvin Coolidge einmal gesagt, jener Lieblingspräsident Ronald Reagans, dessen Staatsporträt entstaubt und an prominenter Stelle im Weißen Haus neu aufgehängt wurde, kaum war der Kalifornier in Washington eingezogen, um die Geschäfte Amerikas zu übernehmen.

Die Großrechner

Ein Steuergesetz des erwählten Marktwirtschaftlers Reagan wird den hochtechnologischen Konzernen Amerikas – auch der kalifornischen Computerindustrie – eine fünfundzwanzigprozentige Steuersenkung für Kapitalinvestitionen in der Grundlagenforschung bescheren. Bis zum Jahre 1985 bleiben der lebhaftesten Wachstumsbranche des Landes deshalb mehr als vier Milliarden Dollar Staatsabgaben erspart.

In wenigen anderen Wirtschaftssektoren der Vereinigten Staaten ist die Symbiose zwischen Regierungs- und Privatinteressen ausgeprägter als in Kaliforniens Elektronik-Landschaft, dem Silicon Valley entlang der Route 101 zwischen San Carlos und San José, am südlichen Zipfel der Bucht von San Francisco.

In monotonen Arrangements flacher Bungalows, in Standardhallen bar architektonischer Ansprüche, aber auch in eleganten Hauptquartieren mit eigenwilligen, japanisch inspirierten Fassaden residieren die meisten der 87 Firmen aus Kaliforniens Business-Liste der «Top 500», die ihre Millionen-, ja Milliarden-Umsätze in Halbleitern, Mikroprozessoren, Meßgeräten, Computern und Software machen.

Die Konkurrenz ist firmenmörderisch – von Amerikas Großrechnerproduzenten der sechziger Jahre ist als Marktführer nur IBM übriggeblieben. Bekannte Kleincomputer-Gesellschaften, wie zum Beispiel die «Apple Computer» des jungen, hundertfachen Millionärs Steven Jobs, könnten aufgrund eines einzigen falschen Markenproduktes über Nacht untergehen.

Und doch: Im Hintergrund steht der Große Bruder, stehen Pentagon, CIA und die National Security Agency (NSA), jener hochtechnologische Nachrichtendienst, dessen Antennen in Virginia (und anderswo) die Welt belauschen: Washington braucht Silicon Valley – und umgekehrt.

«Der moderne Rechner ist ein Kind des Militärs», sagt Joseph Weizenbaum, Computer-Wissenschaftler am Massachusetts Institute of Technology (MIT), «und mit großer Wahrscheinlichkeit ist eine beträchtliche Anzahl von Computern dem Ziel gewidmet, auf billigere und zuverlässigere Weise immer größere Menschenmengen töten zu können. Was in aller Welt können wir von dieser seltsamen Frucht des menschlichen Genies schon erwarten?»

Eniac, der erste, vergleichsweise primitive Großrechner (mit 18 000 Vakuumröhren statt Transistoren) öffnete dem Physiker Edward Teller den mathematischen Weg zur Konstruktion der Wasserstoffbombe. Die schnellsten und besten Computer stehen noch heute im Technologiezentrum des Pentagon, in Los Alamos und im kalifornischen Lawrence-Livermore-Laboratorium. Doch die Japaner, die ähnliche Superrechner bauen, gefährden den amerikanischen Sicherheits- und Wirtschaftsvorsprung. Hier griff Washington ein.

Im vorigen Jahr beherrschte Amerika 67 Prozent des weltweiten 14,6-Milliarden-Dollar-Marktes für Halbleiter (Chips), den Elementarbaustein für Computer; Japan war mit seinem 30-Prozent-Anteil die Nummer zwei. In zehn Jahren, wenn auf jeden Mikrochip bis zu 20 Millionen Transistoren passen, könnte der Halbleiter-Markt bei 90 Milliarden Dollar liegen: Um den konzentrierten Vorstoß investitionswilliger japanischer Großkonzerne auf Amerikas ureigenes Geschäftsterritorium einzudämmen, monopolisiert sich Silicon Valley im Forschungsbereich mit stillschweigender Regierungsförderung. Die jüngst gegründete Semiconductor Research Corporation koordiniert unter anderem Entwicklungsprojekte zwischen Amerikas Universitäten und der Elektronik-Industrie. Exekutiv-Direktor des Unternehmens ist Larry Sumney; seine vorherige Stellung: Chef des «Projekts superschneller Computer» im Pentagon.

Der kooperativen Forschung widmet sich, vom Pentagon unterstützt, auch die Microelectronic and Computer Technology Corporation, MCC. Ihr Chef ist niemand anders als Bobby Inman, ehedem von Reagan berufener CIA-Vize und davor Direktor der NSA.

Den führenden Industriellen der Computer-Industrie versicherte kürzlich der Südkalifornier Richard DeLauer, Staatssekretär für Waffenforschung im Verteidigungsministerium, daß das Pentagon genug zahlen wird, «um die führende Stellung Amerikas auf dem Feld der Datenverarbeitung im nächsten Jahrzehnt zu behaupten». Mit einer Milliarde Dollar aus Washington soll in den nächsten fünf Jahren der Bau eines Supercomputers unterstützt werden, «der alles, was die Japaner produzieren, in den Schatten stellen wird».

Derlei «makroökonomische Kampfmaßnahmen im mikroelektronischen Handelskrieg» (so der Silicon-Valley-Firmenboß Jerry Sanders, III) werden freilich geschmückt vom kalifornischen Business-Mythos der einsamen Marktpioniere, die den Billigpreisen staatlich subventionierter japanischer Multis ausgeliefert seien.

Das lebhafte Interesse von Militär und Nachrichtendienst am Stand der Computer-Technik signalisiert indes den wahren amerikanischen Staatstrend der Datenverarbeitung: Was als Fortsetzung der industriellen Revolution mit anderen Mitteln, was als Eintritt in die «informierte Gesellschaft» seit Jahren grundlos gefeiert wird, ist zuerst einmal der Anfang einer datenversessenen gesellschaftlichen Selbstkontrolle und Sicherheitspolitik – an deren Ende womöglich «die Hölle der administrativen Langeweile» liegt, die Theodore Lowi, Professor für Politik an der Cornell University, befürchtet. Wer für den Staat nicht jubelt, der wird gespeichert.

Jacques Vallee, ein skeptischer Kommunikationsexperte im kalifornischen Universitätsort Palo Alto, bekam eines Tages einen computerisierten Brief mit der seltsamen Anrede «Lieber Dr. Mr.». Vallee: «Ich hatte meine Identität verloren, bekam aber noch Post. Ist das unsere Zukunft?»

Die schöne neue Welt öffnete zuerst in Kalifornien ihre Tore. In den dreißiger Jahren hatte Stanford-Professor Frederick Terman den Studenten William Hewlett ermuntert, mit seinem Freund David Packard eine Oszillatoren-Firma zu gründen. Die ersten neun Meßgeräte der beiden Anfänger gingen an die Walt Disney Studios in Los Angeles und fanden Verwendung in dem Trickfilm «Fantasia» – oszillierende Farbstreifen tanzen im Takt zu klassischer Musik.

Heute beschäftigt Hewlett-Packard, der Platzhirsch von Silicon Valley, mit einem Umsatz von 4,25 Milliarden Dollar und 383 Millionen Dollar Nettogewinn (1982) mehr als 68 000 Mitarbeiter in aller Welt. In den Büchern stehen Aufträge über 4,2 Milliarden Dollar für die Lieferung von mehr als 5000 Produkten. Mindestens zehn, eher schon zwanzig Prozent des Geschäftsvolumens geht auf Rechnung des Pentagon und ähnlicher Kunden.

Der große, hochtechnologische Sprung Kaliforniens nach vorn begann, als sich einer der Erfinder des Transistors, William Shockley, nach dem Zweiten Weltkrieg entschlossen hatte, von der Ostküste in seinen Geburtsort Palo Alto bei San Francisco zurückzukehren und in der Heimat mit Jungingenieuren reich zu werden. Shockleys Firma blieb zwar stecken, doch sein begabtester Angestellter, Robert Noyce, «erkannte auf einmal – 1957 –, daß unser Leben nicht als Angestelltenkarriere vorgezeichnet war: Wir konnten Teilhaber einer eigenen Firma werden.»

Seine junge Firma, Fairchild Semiconductor, in jenem Jahr in Palo Alto gegründet, entstand gerade rechtzeitig, um von Amerikas Erziehungs- und Technologie-Panik angesichts der ersten sowjetischen Satelliten zu profitieren: Der «Sputnik-Schock» verwandelte sich in einen Auftragsschock für Fairchild. Noyce: «Der Kampf um die Miniaturisierung von Schaltkreisen wurde vom Pentagon und der Nasa eröffnet.»

Ein technisch neues System, «Planar», machte den Aufdruck von Transistoren auf Siliziumblöcke und die Trennung von Schaltkreisen durch Isolierschichten möglich. Mit dem Bau der Minuteman-Raketenleit- und Navigationssysteme ergoß sich von 1961 an ein neuer staatlicher Dollarsegen über die noch kleine Computer-Region.

Die Techniker-Clique um Noyce trennte sich – Rheem Semiconductors, Raytheon, Signetics, Amelco, Teledyne, National Semiconductor und schließlich Intel, der Erfinder des Mikrochip: Dies alles waren und sind direkte Abkömmlinge von Fairchild, legendäre Business-Spitzenreiter im Silicon Valley, wo einst die Aprikosenbäume blühten.

Heute breiten sich in der Region 750 Halbleiter-, 200 Computer- und 400 elektronische Zubehörfirmen aus, umgeben von Think-Tanks wie dem erzkonservativen Hoover-Institut, dem Lawrence-Livermore-Laboratorium, eingekreist von «Verpackern, Transporteuren, Software-Produzenten, Konsulenten, Arbeitsplatzvermittlern, Investoren, Schiebern und Hochtechnologie-Dieben», so ein Chronist jener Gegend, Dirk Hanson. Hier kann ein Jungingenieur mit einem Jahresgehalt von 30 000 Dollar anfangen, den roten Ferrarri seines dreißigjährigen Bosses auf dem Firmenparkplatz als Ansporn vor Augen.

An Arbeitsmotivation herrscht kein Mangel, die Millionärskarriere liegt im nächsten Mikrochip, und wer auf seinem Gehaltsniveau sitzen bleibt, muß nicht verzagen: Neue Management-Methoden, firmeninterne Freizeitangebote und Bildungsurlaub trösten selbst jene, die es mit 35 zum Millionär nicht geschafft haben. Hier blüht eine Industrie mit dem Leistungsdruck der Bundesliga und dem kalifornischen Selbstverständnis des Robert Noyce: «Der Charakter dieser industriellen Revolution – innovations-intensiv,

110

schnell wachsend, sehr wettbewerbsfähig – ist amerikanisch. Denn Amerika ist ein Land, in dem der Pionier noch akzeptiert wird.»

Der Pionier welcher Zukunft? 45 Millionen amerikanische Arbeitsplätze stehen auf dem Spiel der Büro- und Fabrikautomation. Daß die neue Computerindustrie die Arbeitsplätze ersetzen könnte, die sie wegrationalisiert, will niemand mehr glauben.

Roboter stehen vor der Tür. Der Autokonzern General Motors, der bereits 450 der computergesteuerten Maschinen eingesetzt hat, will bis zum Jahr 1990 über 14 000 neue Roboter aufstellen. Die «technologische Arbeitslosigkeit» (so der Ökonom und Nobelpreisträger Wassily Leontief) mag der kalifornischen Business-Kultur womöglich jenen naiven Enthusiasmus rauben, den der junge Computer-Produzent Steven Jobs (Apple) noch vorführt: «Wir sind mitten in einer Revolution, die genauso groß und mächtig ist wie die industrielle Revolution des 19. Jahrhunderts. Sie verändert unsere Gesellschaft, unsere Fertigkeiten und den Arbeitsmarkt.»

Vor allem glückt ihr das in Kalifornien. Das hochtechnologische Innovationstempo wird dem US-Staat im Jahre 1990 mehr als 726 000 Arbeitsplätze in der spitzentechnologischen Industrie bescheren (1980 waren dort 492 000 beschäftigt). Doch die Gewinne des Silicon Valley sind die Verluste im Hinterland der überholten amerikanischen Industrie, im Mittelwesten und an der Ostküste. Hier werden die Sozialkosten der Computerrevolution (und ihrer Verwertung in der Rüstungsindustrie) im fernen Kalifornien beglichen.

Die Xerox Corporation schätzt, daß Ende dieses Jahrzehntes 36 Millionen Amerikaner Computer «lesen und verstehen können müssen». Die Aussichten dafür sind schlecht; denn in den Vereinigten Staaten steigt in Wirklichkeit das Analphabetentum seit zehn Jahren an. 20 Prozent aller siebzehnjährigen Amerikaner können auf einfache schriftliche Fragen über Alltagsprobleme nicht antworten.

111

Nur jeder fünfte High-School-Absolvent kann einen sinnvollen Aufsatz schreiben.

Ein anderer Multimillionär in Silicon Valley, Charles Sporck, sieht schwarz für die Vereinigten Staaten, falls es der Nation nicht gelinge, dem kalifornischen Vorbild zu folgen: «Wenn wir unsere Führung als Hochtechnologie-Land verlieren», sagt der Präsident der National Semiconductor Corporation (Umsatz 1982: 1,1 Milliarden Dollar), «dann wäre es unmöglich, unsere derzeitigen Institutionen, ja, unsere demokratische Gesellschaft zu retten.»

Der Business-Mythos Kaliforniens, solche unbekümmerte Übersetzung von schlichten Geschäftsinteressen in allumfassende, patriotische Anliegen, die Erhöhung von Firmen-Bilanzen zur wahren Verfassung der Nation – das ist, neben all den Apfelsinen, Aprikosen und Apple-I- bis Apple-III-Computern, Kaliforniens heimliches Spitzenprodukt.

Hier weht der Geist des Reaganismus, dem nun die ganze Welt begegnet. Nur die Kinder Kaliforniens machen nicht mit: Ein besorgter Bericht der Landesregierung in Sacramento stellt fest, daß der Beruf des Elektrotechnikers in der kalifornischen Schülerwunschliste auf Rang 42 liegt. Statt dessen wollen die romantischen Kleinen lieber Künstler, Ärzte und Piloten werden.

California Dreaming.

5
Michael Haller
Mit der Geisterbahn durch Raum und Zeit

Das kalifornische Psycho-Zentrum «Esalen»
und die «transpersonale Bewegung»

Samtig weich tönt die Stimme. «Sie versinken im Boden»,
raunt sie, «tiefer, immer tiefer. Sie verschmelzen mit der
Erde ringsum.» Sternförmig, die Füße zur Mitte, liegen wir
regungslos am Boden: 14 Erwachsene, alle in Rückenlage,
die Augen geschlossen. Wir sinken und verschmelzen.

«Nun sind Sie tief drinnen in der warmen Mutter Erde,
alles um Sie ist schwarz. Es herrscht tiefe Nacht», sagt die
Stimme. Dann, nach einer kurzen Pause: «Jetzt sehen Sie
über sich in weiter Ferne eine kleine, helle Öffnung: ein
Stück Himmel.» Ein erleichtert seufzendes «Aaah!» breitet
sich aus. Dann ist wieder nur unser Atem zu hören. In tiefen, gleichmäßigen Zügen entweicht er durch die offenen
Münder, von leisen Stöhnlauten begleitet.

Wir, acht Männer und sechs Frauen, haben gerade mit
einer «Meditations-Hypnose» begonnen. Sie soll uns Auf-
schluß geben, ob wir schon einmal, vielleicht vor 50 oder
auch 500 Jahren, auf dieser Erde gelebt haben: als Mann
oder Frau, Bauer, Kriegsknecht oder Königin, wer mag das
noch wissen.

«A trip into your past life» hatte der Gruppentrainer ver-
sprochen, eine Traumreise in ein früheres Leben. Wir alle
seien nämlich schon mindestens einmal auf der Erde gewesen, wüßten aber nichts mehr davon, erklärte er uns. Nun
aber, unter der Hypnose, würden wir den Weg wieder zu-
rückfinden, wie in einem Film, der rückwärts laufe. «Erst
kommt Ihre Kindheit, dann die Geburt, dann die neun Mo-

113

nate als Embryo» – und dann tauche jene Zeit wieder auf, «als Sie schon einmal geboren wurden, schon einmal lebten und starben.»

Es geht um die nicht ganz neue Frage, was wohl dem Bewußtsein die absolute Grenze setzt: der Horizont unserer fünf Sinne? Der Schritt vom Leben zum Tod? Oder etwa die Schranke der Einbildungskraft, die unsere Phantasie – trotz Johannes-Evangelium, Timothy Leary und Erich von Däniken – in festen Grenzen hält?

Unserer Traumreise-Gesellschaft, von der Seligkeit des Gruppen-wir-Gefühls beflügelt, setzt sich über solche Erkenntnisfragen hinweg: Nichts scheint den Teilnehmern in diesem Augenblick so selbstverständlich wie ein kleiner Jenseitstrip, um mal schnell bei Herrn Orpheus reinzuschauen.

Sie hätten solche Sessionen bereits mehrfach mitgemacht, gaben die meisten schon bei der Begrüßung zu erkennen. Gleichwohl seien sie keine realitätsblinden Mystikfreaks oder Sektierer, die ihrem Guru hinterherträumen. Tatsächlich sehen die Mitglieder unserer Mannschaft – die Hälfte kommt aus Europa – durchweg wie ordentliche Wohlstandsbürger aus. Alle sind über 30, die meisten arbeiten in gehobenen Stellungen in Hospitälern, unterrichten an Hochschulen oder haben daheim eine Praxis.

Jetzt dämmern wir, vom sanften Singsang des Gruppenleiters geführt, in unseren Wunschträumen dahin und starren mit geschlossenen Augen auf ein kleines Stück Himmel, das sich uns öffnen soll.

Nein, dieser Psychotrip sei keine Seelenmedizin – er solle niemanden heilen, stellte unser Trainer gleich zu Beginn klar. «Krank» und «gesund», die Fundamentalordnung der Medizin, gelte für das Seelisch-Geistige nicht. Was zähle, sei die Erweiterung: «Die rational denkenden Menschen kennen nur einen schmalen Pfad am Rand der ungeheuren Landschaft ihres Bewußtseins». «Verlassen Sie diesen Trampelpfad, und erforschen Sie Ihr inneres Paradies.»

Wir sind nicht die einzigen, die vom Weg abgekommen sind. In mehreren anderen Häusern rings um uns herum träumen, dämmern und schnaufen, tanzen und turnen über 100 weitere Erwachsene in verschiedenen Gruppen. Unter der Anleitung routinierter Trainer wollen sie alle das erleben, was sie «Bewußtseinserweiterung» nennen: den Ausbruch aus der Enge des eigenen Hirns, um für Augenblicke eins zu sein vielleicht mit dem Wind, den Sternen am Himmel und den Geschöpfen der Natur – oder um den totalen Ausstieg zu proben aus dem Raster von Raum und Zeit in eine jenseitige Welt, in der unsere Vergangenheit gegenwärtig sein soll.

Solche Psychotrips gehören zum Standardprogramm des Therapiezentrums «Esalen» an der felsigen Pazifikküste Kaliforniens, nur wenige Kilometer südlich von Big Sur, jener kleinen Siedlung am berühmten Traumstraßen-Highway Nr. 1, wo Henry Miller in seinen letzten Lebensjahren «Big Sur und die Orangen des Hieronymus Bosch» schrieb.

Seit zwei Jahrzehnten ist die Küste Kaliforniens die Geburtsstätte aller wichtigen Psycho-Bewegungen, die das Seelenheil nicht herbeibeten, sondern therapeutisch hervorheben wollen. In unzähligen Zentren, Seminaren und Ashrams zwischen San Francisco und San Diego bemühen sich Teacher und Therapeuten um den neuen, mit sich und der Welt versöhnten, den «ganzheitlichen» Menschen: das Geschöpf einer besseren Zukunft.

So auch in Esalen, dem ersten und folgenreichsten Zentrum, sozusagen der Nabel, mit dem viele große Psychotherapie-Bewegungen verbunden sind. Im Seelenparadies von Big Sur verstehen sich die Leib- und Seelenkundigen auch jetzt wieder als Wegbereiter einer neuen Psychotrip-Bewegung, der «transpersonalen Psychologie», einer Mixtur aus fernöstlicher Meditation, Naturvölkerheilkunde und abendländischer Esoterik. Mit ihr sollen Körper, Seele und Geist zur Einheit verschmelzen: Eine «ganzheitliche» Methode der Bewußtseinserweiterung, die aus gestreßten Konsumfiguren seelisch-geistige Übermenschen hervorzuzaubern soll.

Die Urheber – allesamt Lehrer in Esalen – sehen in ihrer Menschenkunde nichts Geringeres als den «Glaubenskern der nachindustriellen Gesellschaft» – sozusagen die westöstliche Einheitsreligion der Menschheit von morgen. Ihr Inhalt: Mensch, Natur und Lebenswelt seien einer kosmischen Ur-Ordnung unterworfen, deren Gesetze jedoch das logische Verstandesdenken nicht begreifen könne. Das analytisch operierende Bewußtsein der Abendländer sei nämlich dieser Kosmologie geradezu entgegengesetzt und handle deshalb im Grunde lebensfeindlich.

Angeführt von den Meisterdenkern der Aufklärung – Descartes und Newton – hätten die Europäer die analytische Rationalität in der Form der Technik zur Weltherrschaft verholfen und schließlich den Vernichtungsfeldzug gegen die natürliche Lebenswelt in Gang gesetzt. Die Bedrohung durch den atomaren Blow-up sei genauso eine Folge des herrschenden Bewußtseins wie etwa die epidemische Verbreitung der Depression oder das Anwachsen streßbedingter und krebsartiger Erkrankungen.

«Unsere Krise zeigt, wie unsere Institutionen die Natur verraten haben», wußte der in Wien aufgewachsene, heute in Berkeley und Esalen lehrende Atomphysiker Fritjof Capra schon vor zehn Jahren. Um das Ganze der Welt zu retten, «benötigen wir eine spirituell-ökologische Perspektive», die den einzelnen Menschen – und in der Folge die Gesellschaft – transformiere.

«Tao und Physik – die Synthese aus östlicher und westlicher Weltsicht», umriß damals Transpersonalist Capra seine Sicht der künftigen «Einheit aller Dinge jenseits der Rationalität»: Der die Menschheit rettende Weltensinn sei zwar mit der Logik des Verstandes nicht zu fassen. Gleichwohl, so Capra und die Esalen-Leute, könnten die Menschen seine Gesetze erfassen und befolgen – sofern sie nur ihr einseitig entwickeltes Bewußtsein erweitern.

Das Mekka der Transpersonalisten liegt inmitten der wilden Küstenlandschaft auf einem kleinen Plateau: ein Park mit steinalten Rotholzbäumen, sattgrünem Rasen und üppigen Blumengärten. Ein Dutzend schlichte Holzhäuser, eine Werkstatt, die Gärtnerei, das Speisehaus mit Büros und ei-

116

ne Gemüsefarm, natürlich makrobiotisch, sind über das Gelände verteilt. Hoch über der Brandung des Meeres, in die Felsen der Steilküste eingehauen, sprudeln die «hot tubs», die heißen Schwefelquellbäder, das Wahrzeichen von Esalen.

Früher nutzten die an der Küste heimischen Indianer, deren Stamm «Esselen» hieß, die Quellen als Heilstätte. Ihre Medizinmänner sollen weit herum als große Spiritisten, sogenannte Schamanen, gegolten haben. Die genaue Bedeutung ihres zu Esalen gewandelten Namens kennt heute keiner mehr. Irgendwie hätte er etwas mit «Lebensenergie» zu tun, vermutet ein älterer Esalen-Therapeut, «vielleicht auch mit der magischen Kraft des Wassers».

Unten, vor den Fenstern unseres Trainingsraums, tosen die Fluten gegen die Klippen. Ihr Brausen, durchmischt mit dem Duft von Eukalyptus, dringt in den Raum. Unwillkürlich schnaufen wir mit dem Rhythmus der Brandung. Zwischen Wasser und Land verschwimmen die Grenzen. Doch ein Jenseits ist nicht in Sicht. «Durch die kleine Öffnung steigen wir zum Himmel auf», dirigiert nun die Stimme, «wir sehen tief unten die Erde und unseren schlafenden Körper. Wir fühlen uns federleicht, wir sind frei!» Erst jetzt soll offenbar der Take-off für den Sprung hinüber beginnen. «Wir überfliegen Raum und Zeit», flüstert die Stimme im Rauschen des Meeres, «und kehren zu versunkenen Orten unserer Vergangenheit zurück.»

Noch bevor wir kopflos werden, stellen sich Zweifel ein: Wieso sollen wir hier, so easy wie ein Kinogang am Samstagnachmittag, eines der schwierigsten Lebensrätsel der Menschheit klären können? Mag ja sein, daß die meisten in unserer Gruppe tatsächlich schon seit Jahren regelmäßig meditieren, allmorgendlich Yoga oder auch extatische Trancetänze vollführen, wie sie nicht ohne Stolz berichten: Sie seien für übersinnliche Spannungen gut präpariert.

Oft genug aber versetzt der Glaube nicht Berge, eher schon Weltbilder, selbst wenn deren Grenzen so klar sind wie die zwischen Tag und Nacht. Wir dürfen alles träumen.

Aber wir können niemals alles wissen. «Die Erinnerung meiner vorigen Zustände», erkannte der Aufklärungsdichter Gotthold Ephraim Lessing vor 200 Jahren, selbst ein Verfechter des Glaubens an die Wiederholung des Lebens, «würde mir nur einen schlechten Gebrauch des gegenwärtigen zu machen erlauben.» Es sei darum von der Schöpfung weise ausgedacht, daß die Menschen niemals Zugang zu ihrer im Jenseits aufgehobenen Vergangenheit hätten.

Dem Trend unserer Zeit folgend, machte die amerikanische Psychologin Helen Wambach aus dem Lebensrätsel eine empirische Frage: Sie hat Ende 1977 die Imaginationen von 750 Testpersonen, die sie hypnotisiert und ins Jenseits geschickt haben will, per Fragebogen abgecheckt. Stolz verkündet sie, 90 Prozent ihrer Klienten hätten, kaum erwacht, aufregende Erlebnisse aus früheren Inkarnationen berichtet. Ihre leichthändig erstellte Auswertung («Es ist bewiesen: Es gibt ein Leben vor dem Leben») wurde unter dem Buchtitel «Life before life» sogleich ein Hit.

Nach der Magic-&-Mystery-Tour der psychodelischen siebziger Jahre und dem Okkultismus-Boom der frühen achtziger lechzen offenbar die von Weltuntergang sattgeschockten Abendländer nach dem kalifornischen Phantasietrip ins späte Mittelalter oder ins Jahr 3000: atemberaubend wie die Apokalypse soll er sein – und dabei so komfortabel wie Disneys neues Plastic-Wonderland «Epcot» in Florida: zahlen, einsteigen, abfahren.

Auch in jeder größeren deutschen Stadt gibt es inzwischen illustre Psychotrip-Zirkel, die dem Esalen-Vorbild nacheifern. Sie nennen sich «Esoterische Gesellschaft», «Transpersonales Zentrum», «Arbeitskreis Reinkarnationstherapie» oder, schlichter, «Freund der Erde». Mit Anzeigen in der Esoteriker-Schrift *Esotera,* aber auch im noch ganz am Diesseits orientierten Monatsheft *Psychologie heute,* in Alternativ-Gazetten und Stadtteilzeitungen wie etwa dem Hamburger *Oxmox* bieten sie «esoterisch-spirituelle Erlebnisse» an – oder, per workshop, auch gleich Gruppenreisen in frühere Inkarnationen.

118

Viele der Gruppenleiter sind jedoch Autodidakten ohne Therapieausbildung, viele auch abgesprungene Baghwan-Sannyasins – meist Amateure, die kaum mehr als den Esoterik-Jargon beherrschen und über «kosmische Energien» daherschwatzen, wenn ein seelisch labiler Kunde während des Trips ausrastet und ins Psychotische abzukippen droht.

Solche Psycho-Flippies in rosa Latzhose, schmuckem Baumwollhemd und Visa-Kreditkarte im Täschchen auf der Brust schweifen freilich auch in Esalen barfüßig und verklärten Blicks über Wiesen und Felder. Und abends, nach dem Kniefall vor der untergehenden Sonne, denken sie laut und wortreich darüber nach, ob sie einst als indianischer Schamane in Big Sur oder gar als Laotse-Schüler im fernen Asien gewirkt haben: Ehre, wem Ehre gebührt.

Esalens gestandene Lehrer immerhin finden solch neumodisch-eitle Vermarktung des Reinkarnationsgedankens lächerlich. «Die Idee der wiederholten Leben kann man nicht beweisen», sagt der in Esalen lehrende, bald siebzigjährige Mediziner und Anthropologe John C. Lilly, Erfinder des inzwischen weltberühmten Samadhi-Tanks (ein Becken für die schwerelose Meditation). Und: «Aus dem Trip ins Jenseits läßt sich kein Tourismus machen.» Erfahrungen mit früheren Inkarnationen seien eine «rein subjektive Realität». Jeder einzelne könne solche Imaginationen nur ganz für sich erleben.

Inzwischen hat unser Gruppenleiter das Tonbandgerät in Betrieb gesetzt. Zwei riesige Bose-Boxen beschallen uns mit elektronisch erzeugten Sphärenklängen des deutschen Psychodelic-Komponisten Georg Deuter: «Wings of love».

Für vier Mitglieder der Gruppe wird daraus kein liebebeschwingter Flug: Ein jüngerer Mann aus Boston und eine Psychiatrie-Ärztin aus Düsseldorf steigen abrupt aus; eine lähmende Angst sei ihnen durch das Gedärm gekrochen, berichten sie später beim «sharing», dem mündlichen Erlebnisaustausch. Ein älterer Herr im hellblauen Trainingsanzug, im Alltag Pharma-Chemiker in San Francisco, beginnt plötzlich unartikuliert zu schreien; er wirft sich auf seiner

119

Matte hin und her, als sei er im Fieberwahn. Neben ihm liegt Harald, Mitte 30, ein stämmig gebauter Psychologie-Dozent aus Hannover. Mit sonorer Baßstimme hatte er sich der Gruppe als Intellektueller vorgestellt, der nur aus wissenschaftlichem Interesse an der Übung teilnehme. Jetzt wimmert er mit der Sopran-Fistelstimme eines Dreijährigen leise vor sich hin und flüstert immer wieder: «Papi, laß mich nicht allein, ich habe dich doch so lieb.»

Alle vier seien während ihres Rückwärtsganges bei frühkindlichen Schockerlebnissen «hängengeblieben», erläutert später der Trainer, sie hätten ihre seelischen Traumata von damals wiederbelebt. «Die Kinder», weiß er, «verlieren ihre Angst vor der Geisterbahn um so schneller, je öfter sie an den Gruselgestalten vorbeifahren und diese als Schimären zu durchschauen lernen.» Ganz ähnlich sei es mit frühkindlichen Traumata: Die vier brauchten nur mehrere Male zu ihren Gespenstern zu reisen, dann würden diese ihre Schreckensmacht verlieren.

Fünf andere Teilnehmer bleiben wie tot liegen, sie sperren sich am Ende der Deuter-Sphärenreise gegen die Rückkehr. Erst die dirigierenden Worte unseres Reiseführers zwingen sie zum Aufwachen. Sie seien tatsächlich bis an die Schwelle ihrer Geburt zurückgegangen, erfahren wir.

Sie hätte sogar die dunkle Enge des Gebärkanals und die Rutschfahrt durch den Uterus in der Vision eines engen, tiefen Erdschachtes nochmals erlebt, behauptet eine ältere, französisch sprechende Dame aus Kanada. Noch weiter zurück, gar in ein früheres Leben, sei sie aber nicht gekommen. Ein «typisches Geburtstrauma» – raus aus der mollig-warmen Gebärmutter, rein in die kalte unfreundliche Welt – halte sie im Bann, belehrt uns der Trainer. Auch diese Barriere ließe sich mit Geduld und Übung überwinden.

Die restlichen drei blicken nach ihrer Landung im Hier und Jetzt eher glasig in die Runde. Reden möchten sie vorläufig nicht.

Solch gelenkte Traumreisen unter Hypnose sind keine Esalen-Erfindung, sondern schon immer das Thema der mit

120

Wahn und Verrücktsein befaßten Medizin – und seit der Zeit von Sigmund Freud auch eine, freilich umstrittene Methode («Hypnotismus») der Seelentherapie.

Der sich «Hypnotherapeut» nennende Thorwald Dethlefsen in München etwa macht seit rund zehn Jahren eifrig Reklame für seine «Heilung durch Reinkarnation»: Lebensprobleme sollen sich im Lichte angeblich früher gelebter Leben lösen lassen. Kritiker vermuten jedoch, Dethlefsens hypnotisierte Patienten würden ihre aktuellen Konflikte doch nur auf die vom Therapeuten erwünschten Muster projizieren; die Erinnerung an ein früheres Leben sei phantasiert und therapeutisch bedeutungslos.

Ob Projektion, Fiktion oder Imagination: Für die Esalen-Leute ist die Hypnose-Fahrt in Richtung früheres Leben ohnehin keine Glaubensfrage, sondern eine, allerdings beliebte, Technik unter vielen, um den Erlebnishorizont ihrer Klienten auszudehnen – einfach «in Richtung Unendlichkeit», wie es in einem Workshop-Programm «Bewußtseinserweiterung und Selbsterfahrung» heißt: Körpertraining, Meditationsübungen und Gruppenarbeit seien «nicht dazu da, zu heilen, sondern zu verändern».

«Transformation», Wandel und Veränderung – hieß auch das Zauberwort, mit dem die zwei Kalifornier Michael Murphy und Richard Price aus abgestumpften, gefühllos funktionierenden Abendländern allseits bewußte, für Sinnlichkeit offene Individuen machen wollten und darum vor 20 Jahren das Zentrum gründeten.

Alles habe damit begonnen, daß er im Sommer 1950, als Psychologiestudent in Stanford, in die Vorlesung des berühmten Kulturanthropologen und Asienspezialisten Frederic Spiegelberg geraten sei, der gerade über die indischen Brahmanen las, erinnert sich der zweiundfünfzigjährige Murphy. Bald habe er Spiegelbergs Freunde, darunter den deutschen Theologen Paul Tillich, den indischen Yogameister Swami Prabhanvananda und dessen damaligen Schüler, den Schriftsteller und Drogenkenner Aldous Huxley, kennengelernt.

«Transpersonalisiert» worden sei er jedoch vom indischen Yogi und Freiheitskämpfer Sri Aurobindo. Spiegelberg hatte ihn mit dem Hinweis empfohlen, er sei neben Heidegger der bedeutendste Philosoph des 20. Jahrhunderts. In seinem Hauptwerk («The Life Devine») schildert Aurobindo, wie im Verlauf spezieller Meditationen und Körperübungen eine ungeahnte «Freiheit des Überbewußten» erlangt werden könne. Dies sei für ihn, Murphy, der Schlüssel gewesen: «Er verknüpfte das abendländische Denken mit der meditativen Intuition Asiens und gab damit eine Anleitung zur Evolution des Bewußtseins», zur west-östlichen Einheit.

1956 reiste Murphy nach Indien und ging in den von Aurobindo-Jüngern betriebenen Ashram in Pondicherry, der schon in den dreißiger Jahren in Europa ähnlich populär und umstritten war wie Ende der siebziger Jahre der Baghwan-Ashram in Poona – mit dem Unterschied, daß bei Aurobindo klösterliche Strenge herrschte: kein Sex, kein Alkohol, keine Zigaretten, täglich viele Stunden Meditation.

Dies gefiel Murphy. Doch die überzogen kultische Atmosphäre und das sektiererische Gehabe der Aurobindo-Nachfahren sei ihm auf die sensibilisierten Nerven gegangen. Zwei Jahre hielt er durch, dann war er wieder in Kalifornien.

Im Sommer 1960 traf Murphy «eher zufällig» auf den privatisierenden Psychologen Richard Price. Sie kamen auf die Idee, Aurobindos strenge Schule des Überbewußten für die seelisch labileren Abendländer zu temperieren und per «Bewußtseinserweiterung» populär zu machen: Unter dem Dach eines für jedermann offenen, undogmatisch als «Forum» geführten Ashrams sollten Übungen, Seminare und freier Erfahrungsaustausch stattfinden.

Murphys Großvater, ein wohlhabender Landarzt in Salinas, hatte 1910 den felsigen Abhang südlich von Big Sur mit der Absicht gekauft, die heißen Schwefelquellen für ein gewinnbringendes Kurhotel zu nutzen. Er baute die Quellfassungen und ein Wirtschaftshaus. Dann verstarb er.

Als Murphy und Price 1961 das Gelände inspizierten, hatte sich dort gerade eine Evangelistensekte einquartiert. Bei den Quellen, die auch von Henry Miller und seinen Freunden regelmäßig benutzt wurden, hauste eine romantisch in Naturverehrung entrückte Jugendgruppe der damals sogenannten «Beat-Generation», unter ihnen eine junge Musikerin – Joan Baez.

Mit Hilfe der Camper richteten Murphy und Price das Gelände her, bauten Holzhäuser, legten Gärten an. Nach der Eröffnung im Spätsommer 1962 wirkten die Freunde von früher, Aldous Huxley, Paul Tillich, Frederic Spiegelberg, Carl Rogers, John Levy und Arnold Toynbee als Esalen-Dozenten – getreu der Zweckbestimmung des Instituts: «In den Bereichen der Erziehung, Religion, Philosophie, der Körper- und Verhaltenswissenschaften erforscht Esalen jene Trends, die der Förderung menschlicher Fähigkeiten und Werte dienen.»

Die meditationsunfähigen Abendländer, allemal die auf Effizienz getrimmten Amerikaner, sprachen auf die schöngeistigen Vorträge der Gelehrten indessen nicht an.

Um ihnen den Einstieg in die Bewußtseinserweiterung zu erleichtern, suchten nun die Esalen-Gründer nach immer neuen, möglichst handfesten Techniken: Neben Tanz und Gymnastik wurden hart zupackende Massagetechniken entwickelt, dazu da, Körper und Seele in der urwüchsigen Einheit des zivilisierten Wilden zu spüren.

Ida Rolf, ursprünglich Biochemikerin, kam nach Esalen und entwickelte das seither so genannte «Rolfing», eine Methode zur subkutanen Gewebeverschiebung. Milton Trager fand Rüttel- und Schütteltechniken, die dem Körper zu ungeahnter Beweglichkeit verhelfen. Und Moshe Feldenkrais, ein Ingenieur, schuf in Esalen eine sanfte Gymnastik vor allem für die Nackenpartien: allesamt Techniken zur Vermittlung der seelisch-körperlichen Einheit als dem neuen, bestimmenden Lebensgefühl.

Diese Programme hatten Erfolg, Esalen wurde unter Amerikas Sensitivity-Freaks bald berühmt und populär.

Doch den Esalen-Gründern war die Vermittlung solch neuen Körpergefühls nicht genug: Aurobindos westöstliches «Überbewußtsein» sollte ja Körper, Seele und Geist umfassen. Darum interessierten sich Michael Murphy und Richard Price besonders für Methoden zur Überwindung der seelischen Widerstände gegen das, was ihr Guru mit «Bewußtseinserweiterung» gemeint hatte: den totalen Ausstieg aus dem rationalen, vom Verstand kontrollierten Denken.

Über die Grenzen der USA hinaus berühmt und berüchtigt wurde Esalen Ende der sechziger Jahre denn auch nicht wegen seines «bodywork» genannten Körperkults, sondern durch die Gruppentherapie – «eine Art Nebenprodukt» (Murphy) der Suche nach der erträumten «Überbewußtheit».

Der aus Berkeley stammende William C. Shultz etwa, dann der Psychiatrie-Professor Abraham Maslow, Urheber der inzwischen weltweit verbreiteten Humanistischen Psychologie, sowie der aus Deutschland stammende Fritz S. Perls, Arzt und Begründer der Gestalttherapie, waren Mitte der sechziger Jahre tonangebende Esalen-Lehrer. Alle drei waren Kritiker der klassischen Psychoanalyse. Sie fanden, die unterdrückten Gefühlsbereiche sollten nicht analytisch zerredet oder wegsublimiert, vielmehr hochgeholt und ausgelebt werden.

Jeder der Gruppen-Gurus hatte grundverschiedene Therapie-Konzepte entwickelt. Gleichwohl gingen alle drei vom Credo der Ganzheitlichkeit der menschlichen Natur aus, die beim Industriegesellschaftsmenschen in verschiedene Empfindungssegmente zersplittert sei: Der Kopf wisse nicht mehr, was das Herz spüre, das Herz fühle nicht, was der Bauch empfinde, und so weiter.

Statt nun auch noch die Lebens- und Leidensgeschichte nach Art der Freudschen Tiefenpsychologie analytisch zu zerlegen, sollten besser die Empfindungsbereiche «im Hier und Jetzt erlebt und integriert» (Perls) werden: Jeder einzelne müsse zu seiner ganzheitlichen «Gestalt» finden.

Dieses Esalen-Konzept wurde zum Trendsetter des prikkelnd neuen «feelings» westlicher Großstadtneurotiker: In Encounters und Selbsterfahrungsgruppen toben sie sich ein paar Stunden pro Woche oder mal übers Wochenende in ihren «Gruppe» genannten Horden aus: Da darf man die anderen Groupies, meist wildfremde Menschen, anschreien und anheulen, hauen und streicheln, küssen und beißen, bei den Frauen auch mal an den Brüsten saugen, je nach Trieb und Laune. Hauptsache, es ist «echt».

Solcher Psycho-Massensport hat indessen nichts mit Transpersonalisation zu tun, sondern ist bestenfalls modischer Ausdruck der Langeweile beziehungsgestörter Mittelständler. Die Esalen-Leiter – neben Murphy und Price ist inzwischen die Gestalttherapeutin Nancy Lunney Chefin des Zentrums – halten die «Encounter»-Mode inzwischen auch für einen Irrweg: Die «Transpersonalisation» des Abendländers setze doch immerhin «Selbsterfahrung und Spiritualität» voraus, sagt Nancy, das schöne Gruppenfeeling gebe höchstens «Rückhalt und Stimulanz».

Das meint: Bewußtseinserweiterung müsse zwar – wie im Fall unserer Hypnose-Meditation – vom Trainer «begleitet» und von der Gruppe «mitgetragen» werden; im Grunde aber bleibt sie das einsame, sprachlose Einzelerlebnis im Reich der Phantasie, das laut Nancy nach Art «mystischer Einweihungsrituale» ablaufe. Mit dieser Einsicht ist nichts Okkultes, auch kein Aberglaube gemeint, sondern «Schamanismus», die uralte Zauberlehre der Naturweisheit, die vor zwei Jahrzehnten von den Abendländern an der Westküste Kaliforniens wiederentdeckt worden ist.

Führende Kulturanthropologen wie Mircea Eliade und Joseph Campbell berichten, daß die Mythen annähernd aller nichtbiblischen Religionen den Glauben an die Wiederholung des Lebens enthalten, wenn auch manchmal in verschlüsselter Form. Und in fast allen Kulturen gebe es auch seit Urzeiten hypnoseähnliche «Einweihungsrituale für Schauungen jenseits von Leben und Tod» (Campbell), die sich um die Wiedergeburt drehen.

125

Auch das «transpersonale Erlebnis», daß Mensch, Natur und Kosmos zur Ganzheit verschmelzen, scheint unter Schamanen rund um die Welt bekannt zu sein: Die buddhistischen Lamas in den tibetanischen Klöstern haben offenbar die gleichen Erlebnisse wie etwa die Derwische der muslimischen Sufi-Sekte, die Heilkünstler der Karibu-Eskimo oder die Trancetänzer der I-Kung in Afrika – und, auf ihre Art, hatten dies auch einst der heilige Franz von Assisi und die Theresa von Avila.

Nur: Der Weg dorthin scheint allen Berichten zufolge viele Jahre zu dauern, ist äußerlich beschwerlich und oftmals vom Verlust des Lebens, zumindest der seelischen Gesundheit bedroht. Vor allem aber: Er steht nur «Auserwählten» offen, wobei diese Auswahl möglicherweise auf Merkmalen basiert, die in unserer Kultur «Verrücktsein» signalisieren.

Esalen-Gründer Price und Murphy indessen hatten keine strapaziöse Klosterschule für ein paar Auserwählte im Sinn, die wäre wohl ohne Massenzulauf geblieben. Sie suchten vielmehr psychodelische Techniken, um den Klienten im abgekürzten Verfahren ganz easy den Einstieg ins vermeintlich Übersinnliche zu liefern: Mystik für jedermann, wie sie der Drogentrip bietet.

Damals, Ende der sechziger Jahre, war der Glaube an die schöne neue LSD-Welt unter Kaliforniens Intellektuellen ohnehin verbreitet. Wer Nützliches über den Zusammenhang zwischen Bewußtsein, Verhaltensänderung und Drogen zu berichten hatte, wurde nach Esalen geholt: LSD-Prophet Timothy Leary («Politik als Extase») etwa und der damalige Ethnologiestudent aus Los Angeles, Carlos Castaneda, der über seine angeblichen Lehrjahre beim Peyotepilzessenden Yaqui-Indianer Juan Matus («Don Juan») erzählte. Die Trip-Idee schlug ein, nun als «Schamanismus» verpackt.

Inzwischen sind Castanedas fünf Trip-Bücher – trotz oder auch wegen aller Zweifel an ihrer Authentizität – weltweit Bestseller, ist der tödlich verunglückte Autor bei seinen Fans zur Mysteriengestalt entrückt. Und längst wird solch

126

fragwürdige Schamanen-Esoterik vom sagenhaften Überbewußtsein massenhaft konsumiert: Ständig werden irgendwelche Indianer, Filipinos und brasilianische Indios von
Esoteriker-Vereinen quer durchs Abendland als wundersa-
me Schamanen auf Tournee geschickt, die mit allerlei Ho-
kuspokus ihr andächtiges Publikum für ein paar Minuten ins
Pseudo-Nirwana schicken. Auch wenn bei solchen Sessionen keine Drogen verabreicht werden, so haben die Rituale
doch eindeutig Trip-Charakter: Am Ende der kurzen Psy-
cho-Reise wartet kein kosmisches Überbewußtsein, sondern oftmals Brechreiz und Migräne.

Die in Kalifornien, auch in Esalen, wirkenden Populär-
Ethnologen Michael Harner («Der Weg des Schamanen»)
und Joan Halifax («Die andere Wirklichkeit der Schamanen») bieten bereits im Do-it-yourself-Verfahren «den Umgang mit Naturkräften» und allerlei mirakulöse Heilmetho-
den an. Diese hätten sie soweit dem westlichen Lebensstil
angepaßt, «daß sie im täglichen Leben angewendet» und zur
Verschmelzung «der spirituellen und rationalen Seite»
(Harner) benutzt werden könnten.

Wie das geht, führt Harner in seinen Esalen-Kursen nach
der «Man nehme»-Kochbuch-Methode vor: Zum Beispiel
eine Bongo-Trommel. Und ein Schamanenlied per Ton-
bandkassette. Und eine schöne entspannte Stimmung. Und
ein paar tiefe Atemzüge – und schon geht es up, up and
away, wenn auch nur in den geistleeren Raum der Selbstsug-
gestion.

Kaum mehr als diese per Trip-Erlebnis phantasierte pseu-
do-kosmische «Einheit» hat auch die von Esalen ausgehen-
de «transpersonale Bewegung» zum Glaubensinhalt, zu deren Begründern Michael Harner gehört: eine halb wissen-
schaftlich, halb religiös verbrämte Menschenkunde, die Psy-
cho-Trips als bedeutungsvolle Einweihungsrituale nach Art
des Zauberflöten-Tamino darzustellen vermag.

Daß dieses sagenhafte Überbewußtsein nicht nur von
«Eingeweihten», sondern von jedermann eingeübt werden
könne, begründen die Transpersonalisten mit der Gehirn-

forschung der letzten 20 Jahre: Nach umfänglichen Tests mit Patienten, bei denen die Verbindung zwischen beiden Gehirnhälften («Corpus callosum») operativ durchtrennt worden war, kam nämlich der Physiologe Roger Sperry 1966 zu dem Schluß, daß «jede Gehirnhemisphäre ihre eigene Denkweise und ihr eigenes Gedächtnis» habe: Mit der linken Seite dächten die Menschen logisch, in Begriffen und im Nacheinander, mit der rechten Hemisphäre würden sie intuitiv, spontan und kreativ erfassen.

Daraus folgern die Transpersonalisten, die Abendländer hätten das in der linken Gehirnhälfte sitzende analytische Denken einseitig trainiert und sollten endlich auch die im rechten Gehirn schlummernden spirituellen und intuitiven Fähigkeiten entfalten – mit anderen Worten: Das alte «rationalistisch-mechanistische Weltbild» (Capra) des Isaac Newton sei durch ein metaphysisches zu ersetzen, das beide Hirn- und Bewußtseinssphären umfasse. «Die kosmische Ordnung», weiß Michael Harner, sei nämlich «die Synthese beider Bewußtseinssphären», sei identisch mit Aurobindos «Überbewußtsein», wie auch seit jeher Inhalt des Schamanentums.

Doch die Absicht der Transpersonalisten, den gleichsam hirnfusionierten Übermenschen zu erzeugen, ist selbst nur eine Illusion, die seichte Freizeittrips als neuen Lebenssinn mißversteht.

Nichts gegen den Glauben an ein Leben vor oder nach dem Tod: dieses mag Wahrheit, Hoffnung – oder auch nur eine Illusion der von der Endlichkeit ihres Daseins Enttäuschten sein. Und vielleicht führt auch der Einweihungsweg der Schamanen, wer kann es wissen, zu einer fernen, unserer westlichen Kultur fremden Glaubensgewißheit einer kosmisch begründeten Einheit von Mensch und Natur.

Doch gerade die Existenz der Schamanen als hochverehrte und gefeierte Ausnahmen besagt doch, daß wir, der Rest der Welt, nicht einfach umsteigen können ins Überbewußtsein kosmischer Ur-Ordnung, selbst wenn es dieses Allwissen gäbe. Die bunten Phantasietrip-Visionen haben darum mit Offenbarung, mit Einweihung und Reinkarnation soviel gemein wie die Muppet-Show mit dem Gottesdienst der katholischen Kirche: nichts weiter als die Lust am Ritual. Die Vermutung liegt nahe, daß der Psychotrip auf biochemischem Wege im Hirn der entrückten Transpersonalisten einen Zustand simuliert, der oberflächlich den Erlebnissen eingeweihter Schamanen ähnelt.

Doch während der Schamanenweg tatsächlich zu einem veränderten – und sei es zu einem verrückten – Bewußtsein führt, ist beim Psychotrip auch die Veränderung nur simuliert: Am Ende jedes Trips sind die Leute so engstirnig, einseitig und verklemmt wie zuvor. Es bleibt nur der therapeutische Effekt, daß Gefühlskälte und gewisse Existenzängste überwunden werden können.

Die von ihrer Hirnfusionserweiterung überzeugten Transpersonalisten haben sich inzwischen zu einem weltumspannenden Netzwerk, der «International Transpersonal Association» (ITA), verdichtet, mit Niederlassungen in den USA, Asien und Westeuropa.

Ihre ersten Konferenzen fanden anfangs noch im Kreise der Kalifornier statt. Im Februar 1982 ging die Tagung mit 700 Teilnehmern im vornehmen Oberoi-Tower-Hotel von Bombay über die Bühne, mit Swami Buktananda und Klostermutter Schwester Theresa als Gaststars. Im August 1983 kamen über tausend Transpersonalisten zur Mammut-Tagung ins schweizerische Davos.

Gründer und – neben Fritjof Capra, Michael Murphy und Michael Harner – geistiger Vater der Gesellschaft ist Stanislav Grof, ein tschechischer Tiefenpsychologe, der bereits Ende der fünfziger Jahre in der Klinik in Prag ausgedehnte Versuche mit der Trip-Droge LSD unternahm. Seit Ende der sechziger Jahre lebt Grof in Kalifornien und gehört zum Corps von Esalen.

«Ohne jede Anstrengung», referiert Grof über seine Drogen-Experimente, hätten die Versuchspersonen «erschütternde Todes- und Wiedergeburtserlebnisse» durchgemacht, sie seien förmlich «vom Kosmos verschlungen», wieder «ausgespuckt» und zur Welt gebracht worden.

Seit das Experimentieren mit LSD verboten ist, hat Grof eine spezielle und doch simple Technik entwickelt: anhaltend tiefes und sehr schnelles Atmen, die sogenannte Hyperventilation, die ein Absinken des CO-Blutspiegels bewirkt. Schon der schwedische Hellseher Emanuel Swedenborg soll sich vor 230 Jahren mit Vorliebe durch Hyperventilation in Trance versetzt haben. Ein Eingeweihter ist freilich auch Swedenborg nicht geworden.

Grofs LSD-Ersatzdroge, der Sauerstoff, soll nun unsere Meditationsgruppe aus dem «rationalistisch-materialistischen Denk-Gefängnis» (Grof) für ein paar Stunden hinübertragen in die rechte Hirn-Hemisphäre und weiter zum kosmisch-ganzheitlichen Überbewußtsein – wir üben den Transpersonalisten-Trip.

Diesmal liegen wir in zwei Reihen nebeneinander. Nach mehreren autogenen Entspannungsübungen beginnen wir auf Grofs Anweisung mit dem tiefen, schnellen Atmen. Der Raum ist abgedunkelt, aus den Lautsprechern dröhnt Rachmaninows Synfonische Dichtung «Die Toteninsel».

Nach einer halben Stunde bleiben sechs Leute schreiend und wimmernd wieder in frühkindlichen Traumata hängen. Weitere vier wälzen sich am Boden, die Arme und Hände wie in einem epileptischen Anfall spastisch verkrampft – die für Hyperventilation typischen Symptome. «Euer rationales Bewußtsein will die Kontrolle nicht verlieren», erläutert Stanislav, die Klienten sollten den Trip fortsetzen und «durch diese Sperre hindurchgehen».

Inzwischen haben wir Rachmaninows Toteninsel verlassen. John McLaughlins liebliche «Shakti»-Melodie durchflutet nun den Raum, wohl eine krampflösende psychodelische Arznei. Dann folgt der rhythmische Chorgesang der Jerrahi-Derwische des Scheichs Mustaffer. Unsere Gruppe schnauft und röchelt unablässig im Takt. Weitere zwei Leute brechen ab, stehen langsam auf. Im Schwindel mit den Händen immer wieder Halt suchend, verlassen sie den

Raum. Die verbliebenen sieben swingen, stetig tief atmend, mit Scheich Mustaffer durch die blauen Wolken ihrer Phantasie.

Später, beim «sharing», erzählen sie Erlebnisgeschichten wie aus Tausendundeiner Nacht: Hinter ihre Geburt zurück in den jenseitigen Allheitszustand seien sie flugs zurückgekehrt. Zwei Herren mittleren Alters, der eine aus Österreich, der andere aus Deutschland, wollten gar in einem früheren Leben als Derwische über die Höhen der anatolischen Landschaft gezogen sein – ein netter Zufall.

Ihnen sei der Einstieg ins Transpersonale geglückt, lächelt Grof, im Schneidersitz auf dem Boden hockend, eines Tages könnten sie nach Lust und Laune aus ihrem Körper aussteigen und sich mit den «Bewußtheiten anderer Lebewesen» transpersonal verschmelzen. Solche Erlebnisgeschichten hat man auch schon von LSD-Schluckern gehört, kurz bevor sie sich durchs offene Fenster drei Stockwerke hinab transpersonalisierten.

Nicht minder Ausdruck eines eigenartig erweiterten Bewußtseins waren auch die Darlegungen unseres Gruppenmitglieds Anne-Marie, einer leicht ergrauten Psychotherapeutin aus Frankfurt mit Doktortitel und einer Freudschen Vollanalyse hinter sich. Spät in der Nacht, als unsere Meditationsgruppe Feierabend machte und wir alle nackt unter freiem Himmel in Esalens heißen Schwefelwassern plantschten, hielt sie astrologische Vorträge über geheimnisvolle Wirkungslinien zwischen Planetenbahnen, Weltgeschick und Reinkarnation .

Glaubt man Anne-Marie, dann ist das letzte Quartal dieses Jahrhunderts eine Zeit auch des kosmischen Wertewandels, weil die Sonne derzeit vom Sternenbild der Fische zu dem des Wassermanns wandert – «eine Epoche schwerster Krisen», nicht nur auf der Erde; und darum auch eine Zeit der «Neubesinnung auf unseren kosmischen Ursprung», wie sie sagt.

Woher sie dieses Wissen habe? Anne-Marie ist Mitglied einer bereits neuen Bewegung, Avantgarde der vermutlich nächsten Psycho-Welle. Sie nennt sich «Die sanfte Verschwörung im Zeichen des Wassermanns» und setzt die Transpersonalisten-Bewegung als globales Gesellschaftsprogramm fort. Ihr Mentor: Fritjof Capra, dessen Bestseller «Wendezeit» als Wegbereiter eines künftigen «ökologischen Weltbildes» gilt.

Die «Verschwörung» populär gemacht hat die kalifornische Publizistin Marilyn Ferguson, die aus den Verschwörern – fast alle lehren natürlich in Esalen – eine «Weltbewegung zur Rettung der Erde» machen will. Doch auch dieser Globaltrip wird wohl kein Weg der Erlösung sein, sondern zuerst in Kalifornien, dann in Europa zum Psycho-Massenkonsumsport verflachen – und schließlich so enden wie jeder frühere Psychotrip: mit ein bißchen Kopfweh.

6
Joachim Schöps
Die Spiele als Geschäft vermarktet

Olympia-Stadt Los Angeles

Bislang haben die Leute bei Levi Strauss in Amerika immer nur Hosen gemacht, ein ehrbarer Beruf, aber natürlich nichts, worauf man sich etwas einbilden könnte. Nun jedoch, sagt Robert D. Haas, der Vizepräsident der Bekleidungsfirma, «sind wir stolz».

Das Unternehmen stiftete acht Millionen Dollar für die Ausrichtung der Olympischen Sommerspiele 1984 in Los Angeles. Und wie der Präsident von Levi's, trägt jetzt so mancher Wirtschaftsführer der Vereinigten Staaten den Kopf ein Stück höher.

«Wir sind stolz dabeizusein», sagt ein Manager des Bierbrauerkonzerns Anheuser-Busch, dessen Unternehmen den Olympia-Organisatoren zehn Millionen Dollar schenkte. «Stolz darauf, daß wir mithelfen können», sind sie auch bei McDonald's, dem Frikadellenbrater, der neun Millionen spendierte. Etwas umständlicher erklärte sich die US-Tochter des japanischen Filmriesen Fuji, die mit fünf Millionen Dollar zur Hand war und damit «einen Beitrag zur besseren Kommunikation zwischen den Menschen dieser Welt» leistete. Coca Cola wiederum ist wegen der 15 Millionen, die hergegeben wurden, einfach nur «stolz».

Vermutlich ist inzwischen selbst Jere Thompson ein stolzer Mann, der Präsident der Supermarktkette Southland Corporation. Er baut den Olympia-Veranstaltern für drei Millionen Dollar ein Radstadion, war aber nicht gleich im Bilde. «Ich wußte nicht, worum es geht», räumt er ein, «ich konnte nicht einmal den Namen Velodrom aussprechen.»

133

Mit gutem Recht sind sie alle froh darüber, daß nun, da die Jugend der Welt zum friedlichen Wettstreit nach Amerika kommt, so viele Millionen fließen. Aber davon kann man schließlich nicht leben. Und deshalb wollen die Stifter, Jere Thompson und Präsident Haas und noch rund dreißig andere, an diesen Spielen auch ihrerseits teilhaben.

Bei Coca Cola zum Beispiel ist eine «Olympic Task Force» gestartet. 21 Millionen Getränke der Firma, so hat das Team schon ermittelt, werden während der Wettkämpfe verkauft werden. Coke und Diet Coke, Sprite und Minute Maid sind jetzt die «Official soft drinks of the Olympics», können aber von Natur aus darauf nicht stolz sein. 35 Millionen Dollar sollen allein für die Fernsehwerbung ausgegeben werden, die dann das «Image of Association» besorgt: «Wenn unsere Käufer», erklärt einer von der Task Force, «in einem Geschäft vor einem Regal stehen, in dem Coke und Pepsi sind, muß sich im Bewußtsein durchsetzen: Coke hat die Olympiade mitfinanziert, und für wen entscheidet sich dann der Käufer? Natürlich für Coca Cola.»

Levi Strauss kleidet kostenlos die Olympia-Offiziellen ein, die vielen Helfer und die US-Athleten. Anfang 1984 soll die Olympia-Bekleidung für jedermann in den Läden angeboten werden; «auf diese Weise können alle Amerikaner teilnehmen». 50 Millionen Dollar wird Levi's in die Werbung und in die olympische Schneiderei stecken. Es ist «gutangelegtes Geld», wie Robert D. Haas sagt, denn das Unternehmen «geht auf die vierundachtziger Olympiade zu mit einer allgemeinen Verpflichtung, Gold nach Hause zu bringen». Und mit Kleiderspenden geht Levi's nebenher auch auf die Olympischen Winterspiele zu. Sie finden, wie ein Rundschreiben der Firma verrät, in «Sarajewo, Venezuela» statt.

Die Photofirma Fuji, der es um die völkerverbindende Kommunikation zu tun ist, hat ebenfalls daran gedacht, daß «die beträchtliche Investition in neue Verpackungen, wie sie speziell für die Spiele entworfen wurden, eine sehr vernünftige Anlage für Fujis Zukunft» ist. Fuji hat eine Mannschaft amerikanischer Olympioniken auf die Werbereise geschickt, unter anderen die Sprinterin Wilma Rudolph (drei Goldmedaillen) und den Schwimmer Don Schollander (fünf Goldmedaillen). «Unsere Medienpläne», sagt Vizepräsident Carl Chapman, «sind umfänglicher als bei jeder anderen Kampagne zuvor.»

Rekorde noch und noch. *Sports Illustrated*, die vier Millionen Dollar spendete, chartert ein Kreuzfahrtschiff, die «Island Princess», die während der Spiele im Hafen von Los Angeles ankern wird. An Bord gehen werden die guten Anzeigenkunden des Blattes, denn «das Schiff», weiß Generalmanager Miller, «gibt uns eine Marketing-Chance, wie wir sie noch nie gehabt haben». General Motors stellt 500 Buicks für olympische Transportaufgaben zur Verfügung und bringt im Herbst ein neues Modell der «Century»-Reihe auf den Markt – «das olympische Modell». Der Name liegt auf der Hand: «Die Kraft unserer Wagen und die Kraft der Athleten, Leistung und Ausdauer gehören zusammen.»

Von der Bahn abgekommen sind in dieser Konkurrenz nur die Bierbrauer von Anheuser-Busch. Sie werden zwar ihre «Budweiser»-Dosen mit olympischen Symbolen bedrucken und um die 20 Millionen Dollar in Werbespots anlegen, wollen aber darauf verzichten, mit der Aufschrift «Official beer of the Olympics» zu handeln. Die Firmenleitung hatte Bedenken, «eine Beziehung zwischen Bier und den Leistungen im Sport herzustellen».

Solche Sorgen hätten sich die Brauherren eigentlich nicht machen müssen. Für empfindsame Naturen ist bei dieser Olympiade sowieso nichts zu gewinnen. Denn noch nie zuvor hat sich der Kommerz so ungeniert der olympischen Idee bedient. In Los Angeles werden, wie der britische *Observer* schreibt, «der Welt die ersten Big-Business-Spiele präsentiert».

Bestürzt warnte von Italien her Mario Pescante vom Nationalen Olmypischen Komitee: Die Amerikaner behandelten das würdevolle Fest «als ein beliebiges geschäftliches Unternehmen» und von «einem Standpunkt aus, der von kaufmännischen Interessen bestimmt ist». In Deutschland mahnte die *Frankfurter Allgemeine*, die auch den Sportbetrieb von hoher moralischer Warte aus betrachtet: «Profigeist und kapitalistisches Denken begleiten die Vorbereitungen.» Josef Neckermann, Vorsitzender der Deutschen Sporthilfe und bedeutender Dressurreiter, ist darauf gefaßt, nun «manches zu erleben, was uns fremd sein wird». Selbst eine Einheimische wie Maureen Kindel, Stadtbedienstete von Los Angeles und immerhin im Aufsichtsrat des olympischen Organisationskomitees, ist «beunruhigt, daß die Seele, der Zauber der Spiele Schaden erleiden».

Eine gewisse Gefahr läßt sich da wohl nicht leugnen. Für Joel Rubinstein zum Beispiel, Marketingdirektor des Organisationskomitees und schon deshalb für das Seelische nicht zuständig, wird «die Olympiade zeigen, was freies Unternehmertum zu leisten imstande ist», und als habe er damit noch nicht genug entzaubert, fügt er spröde hinzu: «Olympia wird als Geschäft vermarktet.» Sein Chef Peter Ueberroth, der Präsident des Komitees, hat unterdessen ein neues olympisches Zeitalter ausgerufen, in dem die Jugend der Welt und die Unternehmer der Welt gleichsam untergehakt um die Wette kämpfen. «Die Partnerschaft zwischen Geschäft und Olympia», sagt er, «ist geprägt von olympischem Geist. Sie ist ein Modell für die Zukunft.»

Daß es so weit gekommen ist, dankt Olympia den Bürgern von Los Angeles. Nachdem die Stadt 1978 vom Internationalen Olympischen Komitee den Zuschlag für die Sommerspiele erhalten hatte, sprachen sie sich in einer Volksbefragung gegen eine Finanzierung durch öffentliche Mittel aus. Bürgermeister Tom Bradley war ratlos, die Olympier auch, und als Austragungsort war plötzlich wieder München im Gespräch. Doch da regte sich das freie Unternehmertum. Eine Gruppe kalifornischer Geschäftsleute bot sich an, den Betrieb wieder flottzumachen, und so kam es zu den ersten privat organisierten und privat finanzierten Spielen der olympischen Geschichte.

Zum Präsidenten des Organisationskomitees bestellten

die Kalifornier einen Mann, der aus dem Stand große Sprünge machen kann. Peter Ueberroth, 45, Sohn deutscher Einwanderer aus Lübeck und in Chicago geboren, gründete vor Jahren die «First Travel Corporation», ein Reiseunternehmen mit drei Angestellten. Bald danach waren es 1600, und die Firma war die zweitgrößte dieser Art in den USA. Ein Selfmademan aus dem Musterbuch ist der Organisator der XXIII. Olympischen Spiele, aber hemdsärmelig ist er dabei nicht geworden. Peter Ueberroth spricht sparsam und leise, er bewegt sich gemessen und mit Vorliebe in gedecktem Dessin, und man könnte meinen, das sei einer von Mannesmann. Blick sowie Führungsstil sind überaus gradlinig, und sein Komitee, so sein früherer Pressechef Frank Hotchkiss, «regiert der wie ein Zar».

Dem glaubt man es auf der Stelle, daß dieser Olympia-Job für ihn «eine ungeheure Herausforderung war, etwas Exzellentes unter größten Schwierigkeiten auf die Beine zu stellen». Ueberroth verkaufte die Travel Corporation, behielt anteilig 4,4 Millionen Dollar übrig und fing wieder an: «Kein Büro, keine Leute, kein Bankkonto, kein Schreibpapier.» Er hatte lange gezögert, und als er einstieg in das Pionierunternehmen, kam ihm «ein ironischer Gedanke»: Es war am Fools day, dem 1. April.

Nun verdient er statt der 400 000 Dollar, die er sich vorher als Geschäftsführer hatte zukommen lassen, 140 000 im Jahr, und im Jahr vor der Eröffnung der Spiele arbeitet er sogar unentgeltlich. Sein Organisationsapparat ist über 400 Mitarbeiter noch kaum hinausgekommen, und auch für die ist dort nicht viel zu holen. Die Leute arbeiten trotzdem, wie Lutz Endlich vom westdeutschen «Bundesausschuß Leistungssport» wahrgenommen hat, «wie die Wilden». Und auf das Einkommen kommt es womöglich auch gar nicht an.

«Im Komitee», sagt Frank Hotchkiss, «gibt es eine merkwürdige Mischung von Politik und Geschäft, die von außen nicht zu erkennen ist.» Dafür tätig zu sein, meint Ted Hinshaw, der das olympische Segeln organisiert, werde «sich als Sprungbrett für die Karriere erweisen. Man lernt viele wichtige Leute kennen, und nach den Spielen wird sich das für manchen auszahlen.»

Hinshaw gibt aber auch ein Beispiel dafür ab, daß zu der Mischung von Politik und Geschäft noch ein anderer, schwer bestimmbarer Anteil gehört, eine Art Siegeswille von Ueberrothschem Zuschnitt, der schon fast wieder an die Seele denken läßt. Er hat seinen vorzüglich dotierten Managerjob bei der Investmentfirma «The Capital Group» aufgegeben, um die Olympia-Segelei auf Kurs zu bringen. Schlecht geht es ihm nicht: «Ich habe Gott sei Dank Aktien.» Die 5000 Dollar im Jahr, die ihm Peter Ueberroth auf die Hand gibt, reichen gerade zu einem Satz Segel für seine zwölf Meter lange Jacht, mit der er nach den Spielen für eine Weile in den Pazifik will.

An Antrieb fehlt es also nicht in Ueberroths Mannschaft, aber gereiften Sportfunktionären muß das vorkommen wie Peterchens Mondfahrt: 400 schlecht entlohnte, manchmal gar nicht bezahlte Leute unter der Führung eines Reiseunternehmers sollen ein Ereignis bewältigen, das gemeinhin ganze Regierungslager unter Dampf setzt. 12 000 Athleten aus 150 Ländern werden erwartet, rund 10 000 Offizielle samt Anhang, an die 8000 Presseleute und einige Millionen Besucher. Obendrein will Peter Ueberroth die ungeheure Herausforderung mit einem Etat von 470 Millionen Dollar lösen, ein Betrag, der staunen macht.

Neun Milliarden Dollar haben die Sowjets für ihre Moskauer Spiele ausgegeben, und die wurden dann auch noch boykottiert. 1,5 Milliarden mußten in Montreal aufgebracht werden; die Stadt und ihre Bürger werden die Schulden noch bis in das Jahr 1996 hinein abtragen müssen. Der Privatunternehmer Ueberroth kann sich so etwas überhaupt nicht leisten. «Wir geben», sagt der Präsident, «nur fünf Prozent von dem aus, was die Sowjets ausgegeben haben», aber er weiß auch, wie in der olympischen Welt darüber gedacht wird: «Bislang haben wir es nicht erreicht, internationales Vertrauen aufzubauen, weil viele nicht glauben können, daß wir das fertigbringen.»

Fertigbringen kann er das auch nur, weil der Großraum Los Angeles mit Sportstätten gut versehen ist und weil eben der fehlende Rest, wie das Velodrom oder das Schwimmstadion, von der Marktwirtschaft hergerichtet wird. Die Leichtathletikwettbewerbe, Eröffnungs- und Abschlußfeier finden im «Coliseum» statt, jener Arena, in der 1932 schon einmal Olympische Sommerspiele veranstaltet wurden. Die Jahre sind diesem Stadion natürlich anzusehen, Efeu bedeckt freundlich den Altbau. Aber jetzt kommt Arco, ein Erdölmulti, renoviert für neun Millionen Dollar die Räumlichkeiten, legt außerhalb Übungsplätze an und drinnen eine schnelle Laufbahn – mit dem Werkstoff eines deutschen Herstellers.

Die vier Millionen Dollar, die zum Beispiel das Kreditkartenunternehmen American Express oder United Airlines an die Firma Ueberroth gezahlt haben, sind sozusagen der Mindesteintritt für den Werberummel. Den olympischen Rekord erreichte die amerikanische Fernsehgesellschaft ABC: 225 Millionen Dollar für die US-Bildschirmrechte, und dafür soll es dann auch im nächsten Sommer «die größte Fernsehshow dieses Jahrhunderts» geben.

In München war die Fernsehlizenz noch für 13,3 Millionen Dollar vergeben worden. Die Sowjets, acht Jahre später, witterten Devisen und steigerten auf 85 Millionen, wohl immer noch ein Sonderangebot. Denn die happige Gebührenerhöhung für Los Angeles ist schon wieder verdient.

Wer jetzt noch werben will während der Spiele, kommt zu spät. Die ganze Zeit ist ausverkauft – für 615 Millionen Dollar. Und da fällt es wohl nicht ins Gewicht, wenn von den Kollegen in aller Welt bei weitem nicht soviel zu holen war, wie die Amerikaner sich das gedacht hatten.

84 Millionen Dollar für die Übertragungsrechte sollte die Eurovision bezahlen, der schon bei den 6,1 Millionen, die letzthin Moskau forderte, das Flimmern gekommen war. Erst als der italienische Privatsender Canale 5 plötzlich mitbot, verständigten sie sich mit den Amerikanern auf 19,8 Millionen. Dieser Betrag allerdings ist nur eine Art Grund-

gebühr für olympische Bilder. Sämtliche Dienstleistungen, wie Studioräume oder technischer Beistand, müssen extra bezahlt werden, und auch das widerspricht allem Brauch.

Zusätzlich gut 17 Millionen Mark werden ARD und ZDF noch aufbringen müssen. Der Platz für einen Sprecher im Stadion kommt samt Technik auf 18 000 Mark. Für den Quadratmeter Studio nehmen die Amerikaner 700 Mark; Schreibtisch (60 Dollar), Lampe (25 Dollar) oder dreisitziges Sofa (58 Dollar) werden selbstverständlich gesondert berechnet.

Ostblock-Länder wie die Tschechoslowakei und Rumänien haben wissen lassen, daß sie unter diesen Umständen auf olympische Übertragungen verzichten werden; dort fehlt es ohnehin an Devisen. Und als die Amerikaner auch mit den Japanern um die Millionen stritten, kam ein warnender Wink vom Außenministerium in Washington: Man möge behutsam sein, sonst werde Tokio womöglich auf anderen Feldern der Wirtschaft zurückschlagen.

Hier und dort langt das Unternehmertum auf eine Weise zu, die auch dem Privatkomitee nicht gefallen kann. Da ist zum Beispiel Al Davis, Gechäftsmann und Besitzer des Football-Clubs «The Raiders», der seine Spiele im Coliseum austrägt. Als Olympia nahe kam, beschloß Davis, rund um das Stadion 174 Luxus-Logen zu bauen. Solche Räumichkeiten, die es auch in anderen US-Arenen gibt, sind mit bequemen Sesseln und Teppichboden versehen, mit Kühlschrank und Fernseher, und sie kosten für Firmen oder Fans, die sie mieten wollen, um die 25 000 Dollar im Jahr.

Natürlich will Al Davis, der im Coliseum Hausrechte besitzt, von den 15 Millionen Dollar Baukosten wieder etwas hereinbringen und deshalb seine Logen während der Olympischen Spiele vermieten. Aber eine so innige Partnerschaft zwischen Geschäft und Olympia ging selbst Peter Ueberroth zu weit. Er drohte mit dem Umzug in ein anderes Stadion, das allerdings weit und breit nicht zu sehen ist. Al Davis wußte das wohl, setzte seinen Bauplan durch, überläßt nun einen Teil der Logen für drei Millionen Dollar dem Komitee und vermietet den Rest selbst.

Der Durchschnittspreis für die Olympia-Tickets soll bei nur 18 Dollar liegen, ein Betrag, für den schon ein Tribünenplatz beim Fußball-Bundesliga-Klub HSV zu haben ist. Eine Ausnahme machen die Sonderkarten für sogenannte «Patrone». Ein Arrangement dieser Art kostet 25 000 Dollar und sichert dem Käufer täglich zwei gute Plätze nach Wahl. Der Erlös soll für Freikarten an arme Jugendliche, Behinderte und bedürftige Alte verwendet werden. Aber bei den gewöhnlichen Eintrittskarten scheint wieder der Freihandel dem Komitee in die Quere zu kommen.

Um einen Schwarzmarkt auszuschließen, sollen die Tickets erst kurz vor Beginn der Spiele per Post an die Besteller geschickt werden, wenigstens in den USA. Die Händler jedoch sind zuversichtlich. «Das Olympische Komitee möchte saubere, einwandfreie Spiele haben», spöttelt Dave Adelmann von der größten Kartenagentur in Los Angeles, «das ist schön. Aber wir werden keine Probleme haben, Tickets zu bekommen. Die Leute werden uns welche schicken, wie sie das immer getan haben.» Und dann, so schätzen die Kenner, wird der Eintritt das Fünf- bis Zehnfache kosten.

Wen will es verwundern, daß jetzt auch noch die Bürger der Stadt mit ihren Betten ins Geschäft kommen wollen? Hotelzimmer sind kaum zu haben; das Organisationskomitee hat die meisten beansprucht für auswärtige Delegationen, die olympische Familie, die bei so schönen Reisen immer recht groß ist. Wenigstens 2500 Mark je Woche kostet umgerechnet deshalb nun ein privates Schlafzimmer mit höherem Komfort, zwischen 10 000 und 25 000 Mark liegen die Eigenheime.

Der Präsident der West Coast University zum Beispiel, Robert Baker, bietet sein Haus für 22 500 Mark an; ein Kaufmann aus der guten Wohnlage Brentwood hat seine Villa für 33 000 Mark abgetreten, pro Woche natürlich. «So viel», sagt er fröhlich, «würde ich nicht einmal zahlen, um im Buckingham-Palast zu übernachten.»

Sichtbar wie nie zuvor wird sich der Widerspruch auftun zwischen der Weihewelt, die von den Wächtern olympischer Tugend verbissen verkündet wird, und der olympischen Wirklichkeit, die seit einer Weile schon eine Menge zu tun hat mit Geld und Geschäft und auch mit Politik. Diese Würde, sagt der deutsche Langstreckler Thomas Wessinghage, der sieben Monate lang in der Olympiastadt lebte und lief, «so ein hehrer Begriff – da sind die Amerikaner schon die Richtigen, einen Schlußstrich zu ziehen», und daß nun endgültig und gewissermaßen förmlich das Unternehmertum die Spiele macht, ist ja nicht nur eine Folge jenes Notstands vor ein paar Jahren, als das Volk von Los Angeles sein Veto einlegte.

Olympia ist ein Verlustgeschäft. Ob es nun Diktatoren waren, die sich das feine Dekor dieses Weltfestes ein paar Milliarden kosten ließen, ob freie Staaten der Sportschau auf die Sprünge halfen oder sich Städte damit verschuldeten – die Bürger bezahlten es allemal. Und ob Levi's oder McDonald's nun an Komitees überweisen, die im Vereinsregister stehen, oder solche, die privat abrechnen – mit im Spiel sind sie und viele andere schon lange.

Als der Privatveranstalter Ueberroth sein erstes, noch provisorisches Büro in einem Hochhaus beziehen wollte, ließ sich der Schlüssel nicht drehen; der Hauseigner hatte sich nach der Bonität dieser olympischen Firma erkundigt und dann die Türschlösser ausgewechselt. Nun rechnet Peter Ueberroth mit einem Überschuß von acht Millionen Dollar – der für die Förderung des Amateursports in den USA verwendet werden soll. Und die Jammerei von olympischen Würdenträgern, er betreibe da ein Geschäft wie jedes andere, kommt ihm ziemlich verlogen vor: «Wir können nicht sagen, ob wir es besser machen als andere. Wir sind auch nicht stolz auf die Art, wie wir das organisieren, nur: Uns bleibt keine andere Wahl.»

Big Business wird auf Schritt und Tritt mitkämpfen. Doch ob es guten Sport geben wird, ob Athleten und Besucher auf ihre Kosten kommen, hängt viel mehr von den problematischen Verhältnissen in der Olympiastadt ab, von äußeren, schwer kalkulierbaren Störfaktoren, und das ist ein anderes Thema.

Die Olympischen Sommerspiele finden in Los Angeles statt. Daran rütteln könnte höchstens das Erdbeben, das den Kaliforniern schon seit einer Weile vorausgesagt wird. Aber wo diese Olympiastadt nun anfängt, ist schon mal schwer zu sagen. Aufzuhören scheint sie überhaupt nicht.

Der Häuserbrei, der das San-Fernando-Tal überzieht, ist unterteilt in 82 selbständige Gemeinden – «82 Vorstädte auf der Suche nach einer City», wie ein Lokalspaß sagt. Nach der City von Los Angeles, einer Verwaltungseinheit, kommt das Los Angeles County, doch dann geht es so weiter mit der Stadt, die eigentlich keine ist.

Gut elf Millionen Menschen leben in diesem Großraum, und die Fläche, auf der sie meist einstöckig siedeln, ist fünfzehnmal so groß wie Hamburg. Kommunale Planung, wenn sie denn wirklich einer betreiben wollte, wäre unablässig überlappend, und das klappt ja schon nicht bei den Deutschen im Ruhrgebiet.

Nur von oben betrachtet, ist diese Olympiastadt ein Gemeinwesen, am Boden paßt nichts zueinander. Schön: Es gibt überall Palmen und fast immerzu gutes Wetter, und auch die Strände hören nicht auf. Es ist bunt und bizarr, primitiv und progressiv zugleich, wie es sich gehört für Kalifornien, wo die neue Welt noch mal alles neu ausprobiert. Und wer ein bißchen die Augen zukneift, der könnte glauben, das leichte Leben sei nun endlich in Sicht.

Doch jedermanns Sache scheint das nicht zu sein. Die Zahl der Sekten ist unbekannt, so viele sind es. Gurus und Prediger aller Himmelsrichtungen bemühen sich um bedürftige Seelen, wohl nicht immer mit Erfolg. Die Selbstmordrate ist doppelt so hoch wie im Durchschnitt der Vereinigten Staaten.

143

«Die Hälfte aller Verrückten dieser Welt», bemerkte schon in den fünfziger Jahren ein Landeskenner, der US-Präsident Harry S. Truman, «lebt in einem Umkreis von hundert Meilen um Los Angeles.» Aber nebenbei entwickelte sich in dieser irren Gegend so viel Vernunft, daß Los Angeles nun zum Wirtschafts- und Finanzriesen der USA geworden ist und dem stets unangefochtenen New York in mancherlei Hinsicht den Rang abgelaufen hat.

Die Region beherbergt den Großteil der amerikanischen Luft- und Raumfahrtindustrie sowie zahlreiche Betriebe der Hochtechnologie. Und das Anschwellen der Handelsströme von und nach Fernost verhalf dem künstlich angelegten Hafen zu erstklassigen Umschlagsdaten. Arme gibt es reichlich in Los Angeles, doch das Durchschnittseinkommen liegt um 15 Prozent über der US-Norm, und das Bruttosozialprodukt betrug letztes Jahr 180 Milliarden Dollar: die zwölfte Stelle in der Welt und mehr als ganz Australien.

Die Stadt ist durchwoben von Autobahnen, aber sonst gibt es wenig Verbindendes: Schier endlose Armenviertel mit Schwarzen und Mexikanern, in denen die Sonne das Elend ein wenig heller macht und die Holzhäuschen, brüchig und blättrig zwar, doch freundlicher dastehen als die Fassaden von Harlem. Das dahinsiechende Hollywood, ein Amüsierladen inzwischen, in dem nun der Drogenhandel die spannenden Sachen dreht. Flaniermeilen in Westwood, einer beinahe beschaulichen Universitätsgegend, in der es sogar Bürgersteige gibt. Oder Gemeinden wie Beverly Hills, wo die Reichen ein Nest haben. Dort verstopfen Rolls Royce und Mercedes die Straßen, den Rodeo Drive zum Beispiel, die «teuerste Einkaufsstraße der Welt», die sich so fein findet, daß man in manchen Läden einen Fummel nur kaufen kann, wenn man sich vorher dazu auch angemeldet hat.

Beziehungslos leben die Rassen und Klassen nebeneinander her, mobil, aber in ihren Grenzen. 85 Prozent aller Bewohner ziehen jedes zweite Jahr einmal um. Es fehlt am äußeren wie am inneren Zusammenhalt. Der Unterschied zwischen Los Angeles und einem Joghurt, heißt ein Spott, ist der, daß das andere eine lebende Kultur hat.

Auf ein stilreines Olympia ist diese Stadt nicht eingerichtet. Eine widersprüchliche, auf potentiellen Konflikt angelegte Sozialstruktur und die Existenz zahlreicher Volks- und Emigrantengruppen, die entweder untereinander oder mit irgendwelchen olympischen Gastländern über Kreuz sind, machen das Weltfest überdies zu einem Sicherheitsrisiko – dem sich die Polizei schon im Vorwege für nicht gewachsen erklärt. Nicht zu reden von der gewöhnlichen Kriminalität, die ohnehin Spitze ist und nun womöglich olympisches Format erreicht.

Die Ausdehnung der Stadt und der Sparwille der privaten Veranstalter drohen das sportliche Geschehen so weit auseinanderzuziehen, daß man Olympia vielleicht gar nicht mehr wiederfindet. Lange Wege und die damit verbundene Belastung in einem Verkehr, der schon jetzt dauernd stillsteht; ein Smog, der sich buchstäblich sehen lassen kann, oder Kampfstätten, die nicht zum Vorzeigen sind: Peter Ueberroth, der Präsident des Organisationskomitees, muß sich das alles jetzt schon anhören, und selbst dieser forsche Mann hat nun Anflüge von Demut. «Ich habe die Schwierigkeiten unterschätzt», sagt er.

Es ist schon entmutigend, wenn zum Beispiel der oberste Polizist von Los Angeles, Sheriff Sherman F. Block, einfach sagt: «Die Sicherheitsprobleme liegen jenseits der Möglichkeiten der Polizei.» Zu solchem Freimut sieht sich der Polizeichef unter anderem durch eine Art Völkerwanderung genötigt, deren Ausmaß 1978, als die Spiele nach Los Angeles vergeben wurden, noch nicht zu erkennen war.

2,1 Millionen Mexikaner, die legal oder illegal über die nahe Grenze gekommen sind, siedeln in der Olympiastadt. Sie machen, ebenso wie die eine Million Schwarzen, seit langem das Colorit dieser Gegend. Aber neuerdings ist alle Welt auf Los Angeles gekommen. Dazu gibt es nun beispielsweise 200 000 Perser, ebenso viele Salvadorianer, 175 000 Japaner und ebenso viele Armenier. Zwei Millionen

145

Angelenos sind chinesischer Abkunft, und die Koreaner (150 000) bilden die größte koreanische Siedlung außerhalb des Heimatlandes. 130 000 Neubürger arabischer Herkunft sind zugezogen, aber 90 000 kamen auch aus Israel in die gelobte Stadt. Selbst das Inselvolk der Samoaner ist mit 60 000 Einwanderern vertreten.

«Los Angeles», sagt der Demograph Kevin McCarthy von der Rand Corporation, «ist das natürliche Einfallstor in die USA geworden. Keine Frage, daß es das neue Ellis Island ist» – jene Einwandererinsel vor New York, über die jahrhundertelang die Emigrantenströme in die Vereinigten Staaten zogen. Die Gruppe der Latinos, der Zugereisten aus mittel- und südamerikanischen Ländern, ist auf 30 Prozent angewachsen, die Quote der Weißen liegt inzwischen unter 50 Prozent. Und eigentlich, so flachste der Leitartikler eines Lokalblatts, müßte die Olympiastadt nun zur Dritten Welt gezählt werden.

Bundesdeutsche, die eine mangelhafte Integration ihrer türkischen Mitbürger bedauern, können in Los Angeles getröstet werden. Dort haben sich die Neubürger den sozialen Linien der Stadt ohne Widerspruch angepaßt – sie leben alle in ihrer Kolonie und alle aneinander vorbei. Der Schmelztiegel Amerika scheint außer Betrieb, und an manchen Schaufenstern steht schon: «English spoken here» – da sprechen noch welche Englisch.

Die Filipinos (150 000) oder Guatemalteken (50 000) leben in Spannung zu ihrem Gastland und oft auch zur alten Heimat, aus der sie fliehen mußten. Ihre Bemühungen, auf den american way of life zu kommen, bemessen sich an ihrer Hoffnung, möglichst bald wieder nach Hause zurückzukehren. Und Spannungen genug entwickeln die Volksgruppen auch untereinander.

Die Japaner halten es wie daheim und behandeln die Koreaner als niederes Landvolk. Die Bolivianer möchten bitte nicht mit den Mexikanern in einen Latino-Topf geworfen werden, und Mexikaner, die schon in Los Angeles geboren wurden, machen einen Bogen um Mexikaner, die eben erst

146

zugereist sind. Von den Farbigen an die Wand gedrückt fühlen sich nun die Schwarzen, die noch 1965 im Getto Watts gegen die weiße Unterdrückung gewaltsam aufbegehrten. Seit Olympia bevorsteht, drängen sie wieder nach vorn.

Schwarze Geschäftsleute, so ist zu hören, würden systematisch vom olympischen Geschäft ausgeschlossen. Und wenn das so weitergehe, müsse man für das Coliseum während der Spiele wohl den Belagerungszustand ausrufen. An Truppen wäre kein Mangel. 45 Prozent der Bevölkerung in den South-Central-Bezirken, in denen das Olympia-Stadion liegt, sind Schwarze, 38 Prozent Latinos. Und fast jeder fünfte in dieser Gegend ist arbeitslos.

Vor drei Jahren bereits warnte der schwarze Soziologie-Professor Harry Edwards, der bei den Spielen in Mexiko die Black-Power-Demonstration farbiger US-Athleten während der Siegerehrungen mitorganisierte und sich in der Sache auskennt: «Die Spiele in Los Angeles können leicht zu einem Pulverfaß werden; so, wie ich die Lage einschätze, steuern sie direkt auf eine Katastrophe zu.»

Peter Ueberroth, der vor allem mit Geldsorgen gerechnet hatte bei seiner Privatplanung, hat das Pulver auch schon gerochen: «Die Sicherheitsfrage macht uns die meiste Arbeit.» Was sein Haus betrifft, hat er die Frage nach Unternehmerart angepackt. Er warb den Chef des FBI-Büros in Los Angeles an, Edgar Best, und nahm ihn auf in sein Komitee. Best ging an seine Abwehraufgabe so ernsthaft heran, daß das streng kontrollierte Hauptquartier nun den Beinamen «Führerbunker» trägt.

Natürlich ist es nicht nur die explosive Mischung am Ort, die den Organisatoren zu schaffen macht, sondern auch die Bedrohung von draußen, die seit dem Massaker von München bei Olympischen Spielen allfällig ist. «1972 hat die Spiele für alle Zeiten verändert», klagt Sheriff Block, «denn seither ist Sicherheit ein enorm wichtiger Bestandteil olympischer Planung.»

Für Polizisten, die in Los Angeles arbeiten, ist das ein exotischer Vorgang. Dort jagt man Verbrecher, und dabei knallt es, beiderseits, ziemlich oft. Jetzt sollen sie auf einmal wissen, wie man mit Demonstranten umgeht, gewaltsamen womöglich, und auf Terroristen verstehen sie sich auch nicht. «In unserer Stadt», sagt Commander William Rathburn, stellvertretender Chef der City-Polizei und zuständig für olympische Sicherheit, «leben Gruppen aus aller Welt, und zwar immer welche von beiden Seiten – die dafür sind und die dagegen sind.»

Juden und Araber sowieso, aber auch Koreaner, die das Regime in Seoul hassen, Perser, die vom Ajatollah verjagt wurden, Ost-Emigranten aller Art. Exil-Kubaner könnten etwas im Schilde führen gegen die Olympiakader von Fidel Castro oder Separatisten aus Puerto Rico auf die Idee kommen, den ungeliebten Amerikanern die Spiele zu verderben. Fast die gesamte mexikanische Linke lebt im Raume Los Angeles, und es liegt nahe, daß ihr Olympia gerade recht ist für spektakuläre Umtriebe. Commander Rathburn fühlt sich jetzt schon angegriffen, «das ist», sagt er, «eine ungeheure Strapaze.» 1982 wurde der türkische Generalkonsul auf der Straße erschossen, von Armeniern.

Versteht sich, daß die Spiele in Los Angeles nicht nur eine «erstklassige Plattform für die Einführung neuer Produkte» *(Business Week)* sein werden, sondern auch eine erstklassige Plattform für politische Extremisten. Die Anzahl der Medienvertreter wird Rekord bedeuten, und wer die Welt auf sich hören lassen will, ist dort an der richtigen Stelle.

Den Ernst der Lage unterstrich in Washington Senator Jeremiah Denton, Vorsitzender eines Senatsausschusses für Terrorismus. Er berichtete von nachrichtendienstlichen Informationen, wonach US-Radikale in den Libanon gereist seien, um sich dort für die bewaffnete Teilnahme an der Olympiade trainieren zu lassen. Und Ende Mai 1983 wurde in Los Angeles auch schon ein geheimes Waffenlager entdeckt; die Polizei ist sicher, daß es von politischen Gewalttätern angelegt worden ist. Tretminen wurden geborgen, Handgranaten und die beträchtliche Menge von 25 Kilo Plastiksprengstoff.

148

Gefährdet erscheinen den Sicherheitskräften nicht nur die Athleten. Sie denken zum Beispiel auch an die Wasserversorgung der Region, die von weither gespeist wird, bis zu 300 Meilen entfernt aus dem Landesinneren. Es wäre ein leichtes, durch Sabotage die Stadt und womöglich die Olympischen Spiele trockenzulegen. Dem neuen Chef der FBI-Niederlassung, Edgar Bretzing, macht wiederum die «ungeheure Konzentration von Unternehmen Sorge, die mit Weltall und Verteidigung zu tun haben».

Die Sommerspiele, fürchtet in Washington der FBI-Direktor William Webster, «schaffen eine enorme Möglichkeit für ausländische Nachrichtenleute zu direkten Kontakten, und wir rechnen damit, daß viele Länder versuchen werden, diesen Vorteil zu nutzen». Ein paar Demos wären der Polizei da schon lieber, und auf die sollte sie wohl gefaßt sein. Eine Friedensbewegung aus Los Angeles, die «Federation for Progress», hat bereits «massive gewaltlose Proteste» während der Spiele angekündigt.

Die Aussicht auf Massenkundgebungen scheint insbesondere den Ostblock zu bedrängen. Die Sowjets forderten von der US-Regierung eine Garantie, «daß keine politischen Veranstaltungen und Demonstrationen auf den Austragungsstätten und im olympischen Dorf stattfinden». Polens Olympia-Komitee erbat von Washington eine bindende Zusage, «daß in Los Angeles keinerlei politische Aktionen und Demonstrationen stattfinden, in deren Verlauf die Olympiateilnehmer durch Extremisten gefährdet werden».

Die Amerikaner verwiesen darauf, daß es sich diesmal um eine Privatsache handele, für die nicht zu garantieren sei. Intern neigen sie zu der Annahme, daß es den Ostlern vor allem darum geht, Unruhen unter den eigenen Leute zu vermeiden. Bei den letzten Spielen in einem westlichen Land, in Montreal, war das Unglück gleich dreimal passiert: Ein Sowjetsportler und zwei rumänische Athleten waren übers Ziel hinausgeschossen und hatten um Asyl gebeten.

Mit einer sicheren Unterbringung der Weltjugend in Los Angeles ist jedenfalls zu rechnen, obwohl die wirtschaftliche

Vernunft Peter Ueberroth auf den Neubau eines olympischen Dorfes verzichten ließ. Statt dessen sollen die Athleten in drei verschiedenen Universitäten wohnen, was zwar gegen die olympischen Statuten verstößt, den Teilnehmern aber alle Annehmlichkeiten des amerikanischen Campus-Lebens sichert. Schönheitsfehler in einer der Hochschulen, der University of California in Westwood, ist ein Atomreaktor für die nukleare Forschung. Die Anlage hat zwar bescheidene Ausmaße, ist aber auch bei weitem nicht so sorgfältig gesichert wie die großen Reaktoren im Lande und gewiß eine Versuchung für entschlossene Terroristen. Immerhin sollen die Universitäten weiträumig eingezäunt werden, drinnen wie draußen wird es an Polizei und privaten Wachmännern nicht fehlen, und nicht einmal Funktionäre höherer Dienstgrade dürfen hinein.

Schwieriger schon wird es mit dem Transport der Sportler zu den weit verstreuten Kampfstätten – ideale Angriffswege etwa für eine Geiselnahme. Polizeiführer Rathburn tüftelt noch an einem Fahrplansystem mit immer anderen Routen, die vom Computer entworfen werden. Die Busfahrer erfahren dann stets ihre Stecke erst kurz vor der Abfahrt. Für die Unversehrtheit der Delegierten aus den 150 Olympia-Ländern und der Prominenz, die solche Gelegenheiten gern wahrnimmt, fühlt sich die Polizei aber nicht zuständig. Das gehöre in die Kompetenz des Washingtoner Außenministeriums, sagt Sheriff Block, «und wenn die zusätzlich von uns Polizisten haben wollen, müssen sie die bezahlen».

Der Sheriff rechnet ohnehin damit, daß viele Delegationen ihre eigenen Bewacher mitbringen. Er hat im Grunde auch nichts dagegen, «aber natürlich wollen wir nicht, daß private Armeen nach Los Angeles anreisen». Commander Rathburn malt sich schon aus, daß es zu scheußlichen Straßenkämpfen kommen könnte. Wichtige Amerikaner, die zu den Spielen erscheinen, werden vom Washingtoner Secret Service begleitet, einer überaus mißtrauischen Formation. Was ist, denkt nun der Sicherheitsbeauftragte, wenn diese Leute dann zufällig auf ausländische Bewacher treffen, un-

150

er deren Jacke es metallisch blinkt? Dann nämlich «könnte s sein, daß die augenblicklich losschießen».

Die Aufgeregtheit in Sachen Sicherheit hat unterdessen auch Ronald Reagan erreicht. Er forderte vom Kongreß 69 Millionen Dollar für die olympische Nachrüstung. Allein 6,5 Millionen werden für die 700 FBI-Agenten gebraucht, die während der Spiele eingesetzt werden sollen. Und für den ganz großen Sicherheitsfall hält sich in der Nähe der Olympiastadt die Sondertruppe «Blue Light» auf, etwas ähnliches wie die westdeutsche GSG 9. Bei ihrem letzten Großunternehmen, einem Befreiungsangriff für die US-Geiseln im Iran, waren diese Spezialisten im Sandsturm stecken geblieben.

So ist nicht auszuschließen, daß die Amerikaner noch die Kanadier übertreffen werden, die seinerzeit in Montreal 17 000 Polizisten und Soldaten einsetzten. Deren ruppiger, oft brutaler Umgang mit dem Publikum oder Presseleuten, die sich nicht gängeln lassen wollten, drückte damals die olympische Stimmung. Auch die Athleten hatten darunter zu leiden. Tagtäglich etwa kontrollierten 850 Polizisten die 300 Segelsäcke der Segler, und die waren am Ende schon dankbar, daß die Sicherheitskräfte nicht auch noch mit aufkreuzen wollten.

«Olympische Spiele», meint der Soziologieprofessor Helmuth Schelsky, «die nur noch wie internationale Konferenzen unter strengstem Polizeischutz, unter der peinlichsten Geheimdienstüberwachung und mit Dauerkontrollen der Sportler und ihrer Unterkünfte oder der Zuschauer durchzuführen sind, verfehlen ihren Grundzweck» – den Frieden zu fördern und die Völkerfreundschaft. Seit München geht es so zu, und Los Angeles wird wohl mithalten.

Was das übliche Verbrechen angeht, war Kanada noch weit hinter der Zeit zurück und ist das noch immer. Die Kriminalitätsraten in Los Angeles hingegen gehören zu den höchsten der USA. Schon 1980 wurden im Los Angeles County, dem engeren Stadtbereich, über 2000 Morde gezählt, rund sechs Leichen pro Tag.

151

Gemordet wird häufig unter den farbigen Jugendlichen, deren Arbeitslosenquote bei 41 Prozent liegt. Mehrere hundert Jugend-Gangs sind der Polizei geläufig, mit Schwarzen und Latinos, die gern aufeinander losgehen. Und auch sonst: Mal werden vier Fußgänger aus dem fahrenden Auto von Jugendlichen erschossen; jüngst trieben zwei Revolvermänner, die 1700 Dollar aus einer Restaurantkasse entnommen hatten, elf Angestellte und Gäste in einen Kühlraum und eröffneten das Feuer (drei Tote, sechs Verletzte). Die Zeitungsreporter, erzählt Sheriff Block und lächelt verständnisvoll, «fragen nur noch: Ist das ein Routinemord oder was Besonderes?»

Die Überlebenden bemühen sich, den Zuständen gerecht zu werden. Jährlich werden rund 90 000 Handfeuerwaffen von Privatleuten erworben. Die Universitäten unterhalten eine eigene Campus-Polizei, aber Vergewaltigungen zum Beispiel sind dennoch an der Tagesordnung. Eigentumsdelikte und Drogenkonsum machen die Schwerpunkte der Kriminalität, und auch der Bürgermeister von Los Angeles, Tom Bradley, bekam damit zu tun; seine Tochter mußte wegen Ladendiebstahls und Rauschgiftbesitzes ins Gefängnis.

Auf Einbruch haben sich vor allem Kinder in den Farbigenvierteln spezialisiert, und manchmal läßt der Sheriff abräumen. Schulpflichtige, die auf der Straße herumlaufen, werden per Streifenwagen dem Klassenlehrer übersandt, um auch mal was anderes zu lernen. Es ist ein seltsames Bild: In den Quartieren der Armen, wo ohnehin nichts zu holen ist, sind viele Fenster vergittert.

Für Profis ist das natürlich kein Revier, die gehen dem Beruf in den Villen der Wohlhabenden nach. Kaum ein Haus in Beverly Hills, in dessen Vorgarten nicht ein Schild vor einer Alarmanlage warnt, und oft steht da noch: «Armed response» – es wird zurückgeschossen. Reich zu sein, kann da gar keinen Spaß mehr machen. Wer in dieser guten Gegend zum Beispiel unter den Palmen einherschlendert, was Amerikanern allerdings für gewöhnlich nicht einfällt, muß damit rechnen, von der nächstbesten Streife angehalten und kontrolliert zu werden. Fußgänger, die unbehelligt bleiben wollen, sollten schon einen Hund an der Leine haben, das gilt als Entschuldigung.

Besondere Maßnahmen zum Schutz von Olympia-Touristen, die in die dunklen Ecken von Los Angeles geraten, hat Sheriff Block noch nicht getroffen. «Manche Leute rechnen darauf», wundert sich Generalsekretär Tröger vom westdeutschen Olympia-Komitee, «daß selbst die Verbrecher sagen: Das sind unsere Spiele.» Der Sheriff hofft, daß die Besucher sich nur die Wettkämpfe ansehen werden und nicht auch noch die Stadt. In den Hotels und den Stadien, verspricht Block, werde für die Sicherheit schon gesorgt sein. Commander Rathburn will sich ebenfalls darauf konzentrieren, «die Leute sicher vom Coliseum in ihre Autos oder Busse zu bringen». Er hat sich außerdem bei den Kollegen im Lande, in Kanada und Südamerika erkundigt, welche Spitzenkräfte unter den Taschendieben wohl daran interessiert sein könnten, sich nach Los Angeles zu verändern.

Daß gelegentlich Gauner mit den Athleten in Berührung kommen, scheint man nicht zu befürchten; die werden gerade unterwegs sein. Denn Peter Ueberroths wirtschaftliche Überlegung, auf die verfügbaren 17 Kampfstätten im Großraum Los Angeles zurückzugreifen, wird für ein Olympia der weiten Wege sorgen.

Die Fläche, auf der das sportliche Geschehen ablaufen wird, reicht 225 Kilometer von Nord nach Süd und 65 Kilometer von Ost nach West. Bahnen gibt es nicht, es gibt ein einzigartiges Straßennetz, aber da wohnen schon die Kalifornier.

Wie keine andere Stadt dieser Welt hat Los Angeles auf das Auto gesetzt. 5,6 Millionen gibt es davon, und wenn die nicht laufen, dann läuft nichts mehr im privaten oder beruflichen Dasein der Bürger. Ergeben rollen sie in den Kriechströmen dahin, und oft bringen es die Umstände mit sich, daß einer hinter dem Lenkrad frühstückt, sich rasiert oder frisiert. Für die Stunden unterwegs gibt es Cassetten mit

Buchtexten, denn zum ordentlichen Lesen bleibt vielen keine Zeit.

So eng sind die Menschen dort dem Auto verbunden, daß auf den Straßen der kalifornische Vorwärtsdrang einer sonst ortsfremden Sanftheit Platz macht. Verkehrsteilnehmer aus Los Angeles gelten als Leute von Fahrkultur, und sogar die Verbrecher haben sich daran zu halten.

Das bekam zum Beispiel der «bumper rapist» zu spüren, der Stoßstangenvergewaltiger. Er hatte zur Nachtzeit auf den Schnellstraßen Autos mit allein fahrenden Frauen gerammt und sich dann, statt höflich die Versicherungsdaten auszutauschen, an den Opfern vergangen. Die Öffentlichkeit, die gemeinhin diesem Delikt keinerlei Beachtung mehr schenkt, war empört wie selten zuvor, und eine Zeitung brachte es auf den Punkt: «Vergewaltigung ist eine Sache für die Straße und das Haus, nicht für den Freeway.»

Die 2,3 Millionen Pendler, die in der Olympiastadt werktäglich zwischen Wohnung und Arbeitsplatz verkehren, fahren damit nicht schlechter als die in anderen Ballungszentren. Aber auf die 2,7 Millionen zusätzlichen Fahrzeuge, mit denen die Autobahnpolizei während der Sommerspiele rechnet, ist das Netzwerk denn doch nicht eingerichtet. Dann durch die Stadt zu kommen, spottet ein Kommentator des lokalen Fernsehens, «mag schwieriger sein, als eine Goldmedaille zu erringen – und verdienstvoller».

Der Wissenschaftler Professor Selvyn Enzer, der sich an der Universität von Südkalifornien mit städtischen Entwicklungsproblemen beschäftigt, rechnet damit, «daß die gesamte Kommune zum Stillstand kommt». Und die Polizei hält es für möglich, daß die fremden Autofahrer, wie es bei großen Musikveranstaltungen schon vorkam, ihre Wagen einfach auf der Straße stehen lassen und dem Verkehr den Rest geben.

Weil die Fernsehleute von ABC es so wünschten, sollen die im Inland besonders beliebten Wettkämpfe obendrein noch am späten Nachmittag stattfinden, wenn in Los Angeles die Rush-hour zum Abendbrot hinter dem Lenker ein-

154

lädt. «Dies sind die ersten olympischen Spiele in einer Stadt, in der es kein Massentransportmittel gibt», sagt Forscher Enzer, «alle Anzeichen weisen auf enorme Verkehrsprobleme hin.»

Peter Ueberroth hat die Transportfrage an private Busunternehmen weitergegeben; auch sollen Schulbusse eingesetzt werden, deren Komfort sich in engen Grenzen hält. Wenn das Chaos vermieden werden soll, schätzten die Fachleute in der Stadtverwaltung, müssen wenigstens 40 Prozent aller Olympiabesucher ihre Wagen weit draußen abstellen und die dort wartenden Busse besteigen. Aber niemand hat schon eine Formel gefunden, wie dieses Wunderwerk in Gang kommen soll.

«Es wird behauptet», sagt Professor Enzer, «rund 50 Prozent der Leute kämen mit dem Bus. Das möchte ich mal sehen.» Der größte Teil aller Eintrittskarten aus dem US-Kontingent wird in Kalifornien verkauft werden, und da, sagt Enzer, «läßt doch keiner das Auto zu Hause». Schon in Montreal, wo es immerhin ein stattliches Stadtbahnnetz gibt, kamen 80 Prozent mit dem eigenen Wagen.

Commander Rathburn und Ueberroths Komitee hoffen auf den olympischen Geist der Geschäfts- und Behördenwelt. Die Arbeitszeiten sollen gestaffelt, die Verkehrsspitzen etwas entschärft werden. Captain Ken Rude, Olympiabeauftragter der Autobahnpolizei, fordert vorsorglich mehr Abschleppfahrzeuge, um die Fahrbahnen von parkenden Autos freimachen zu können. Aber was will er machen, wenn auch die Abschlepper steckenbleiben?

Schlanke Lösungen sind nicht zu sehen. Mehr Straßen, als ohnehin schon da sind, werden fürs nächste Jahr nicht geplant. Die Olympiade, rät die Stadtbedienstete Pat Russell ihren Mitbürgern, sei «eine gute Zeit, den Urlaub zu nehmen». Und William Rathburn will irgendwelche Zuversicht erst gar nicht aufkommen lassen: «Auf die Frage, wie wir die Athleten durch diesen Verkehr bringen werden, kann ich nur sagen: langsam.»

Diese Frage aber bewegt die Olympiabeauftragten des

155

Auslandes weit mehr als das mutmaßliche Schicksal der Besucher. Der Schweizer Thomas Keller, Chef der Weltvereinigung der Sportfachverbände, hält eine tägliche Fahrtdauer von zweieinhalb Stunden für die Grenze des Zumutbaren – ein Limit, das leicht überschritten werden könnte. Der Präsident des Internationalen Volleyball-Verbands, Paul Libaud, errechnete für seinen Sport täglich bis zu sechs Stunden Fahrzeit; rund 11 000 Kilometer, meint er, müßten die Athleten während der Spiele auf Achse sein.

«Apocolympics now» hatten US-Blätter geschrieben, als bei den letzten Winterspielen im amerikanischen Flecken Lake Placid der Verkehr darniederlag und Gouverneur Hugh Carey den begrenzten Notstand ausrief. Damals fand die erste Siegerehrung ohne den sowjetischen Sieger statt, weil die Organisatoren vergessen hatten, den Russen Ort und Zeit des Zeremoniells mitzuteilen. Diesmal kommen die Athleten vielleicht gar nicht erst zum Siegen.

«Wir werden auf jeden Fall darauf dringen», sagt Walter Tröger vom westdeutschen Olympia-Komitee, «daß die Ankunft in den Wettkampfstätten garantiert wird und die Wettkämpfe nicht vorher beginnen.» Die Fernsehregisseure von ABC, hinter deren Sendezeiten ein paar hundert Millionen Dollar stehen, werden das nicht gern hören. Die Garantie jedenfalls steht noch aus, sicher ist nur, wie die *International Herald Tribune* meint, daß es die «Freeway Olympics» werden.

Die westdeutschen Segler, die nahe dem Coliseum in der Universität von Kalifornien untergebracht werden sollen und bis zur Wettkampfküste von Long Beach jeden Tag gut 80 Kilometer durch den Stadt- und Autobahnverkehr kreuzen müssen, hatten sich vorsorglich ein Haus am Strand gemietet; aber seit einem Tornado Anfang 1983 ist das Gebäude nicht mehr bewohnbar.

Ganz weit draußen messen sich die Ruderer und Kanuten. Ein eigenes Ruderbecken, wie in München etwa, war den Organisatoren zu teuer. Zwar wurden Pläne, diese Wasserwettbewerbe in Seattle nahe der kanadischen Grenze zu veranstalten, wieder verworfen; auch vom Los Angeles River ließ man wieder ab, nachdem jemand eingefallen war, daß dieser Fluß von April bis Oktober kein Wasser führt. Aber bis zum Lake Casitas, wo nun gerudert wird, sind es vom Zentrum aus 136 Kilometer.

Ein größerer Ausflug ist das allerdings nur für die Zuschauer. Die Teilnehmer sind im dritten olympischen Dorf untergebracht, der Universität von Santa Barbara, und haben deshalb nur noch mit dem Wetter zu kämpfen. Denn auf dem idyllischen Gewässer herrschen, wie Helmut Meyer sagt, «ab elf Uhr keine regulären Verhältnisse mehr». Es herrschen heftige Winde, und deshalb findet der olympische Wettstreit dort in den frühen Morgenstunden statt.

Die Endläufe um die Medaillen beginnen um 7.30 Uhr; die Vorläufe, meint Walter Tröger, «werden wohl noch früher anfangen». Nicht einmal ABC hat die Verhältnisse ändern können, und Zuschauer, die aus Los Angeles anreisen wollen, müßten wohl bald nach Mitternacht das Auto anlassen. «Vielleicht», hofft Generalsekretär Tröger, «campen die Leute da und gucken zu.»

Nicht recht zu fassen sind die Fußballer. Sie spielen mal in der Rose Bowl, einem Stadion in Los Angeles, aber auch in Stanford bei San Francisco, in Annapolis an der amerikanischen Ostküste oder in Cambridge, Massachusetts. Einfach hingegen haben es die Leichtathleten, jedenfalls die deutschen, die wahrscheinlich in der Universität von Südkalifornien wohnen und damit nahe am Coliseum. Allerdings gibt es neben der historischen Arena, weil so etwas in den dreißiger Jahren noch nicht üblich war, keinen Trainingsplatz, auf dem man üben und sich warm machen kann. Bis zum nächstgelegenen Terrain muß die Weltelite anderthalb Kilometer zu Fuß gehen und dabei eine lebhaft befahrene Straße überqueren, sozusagen ein vorolympischer Wettbewerb.

«Olympische Spiele», sagt Walter Tröger, «sind auch eine Demonstration der Möglichkeiten in einem Lande. Man muß halt mit diesen Dingen auskommen.» Überhaupt keine Möglichkeit jedoch schien es für die olympischen Schießwettbewerbe zu geben. Schießen gehört, was ein bißchen überrascht, in den USA zu den unpopulären Sportarten. In Los Angeles war kein Austragungsort zu finden. Man habe aber, ließen die Veranstalter wissen, jede Menge Tennisplätze, und ob man nicht überhaupt ersatzweise ein Tennisturnier arrangieren solle?

Die Internationale Schieß-Union drohte Ueberroths Organisatoren mit einer Klage, und nach weiteren Fehlversuchen kam das Komitee schließlich auf einen Ort, an den man so schnell nicht denken würde: Las Vegas.

«Caesar's Palace», eines der großen Hotels am Ort, war bereit, auf seinem Parkplatz olympisch schießen zu lassen. Das Haus hat einige Erfahrung in derlei Dingen. Auf den Parkflächen fanden schon Formel-1-Rennen statt, im Palace gab es spektakuläre Tennis- und Boxkämpfe. Die Organisatoren waren erleichtert, schließlich ist Las Vegas ein interessanter Platz. Glücksspiel und auch sonst mancherlei Amüsement, ein bißchen Mafia. Und mit dem Jet ist man von Los Angeles schnell einmal hingeflogen: 360 Kilometer.

Nur am energischen Einspruch des Internationalen Olympischen Komitees lag es, daß der Vertrag mit Cäsars Palast dann doch nicht unterschrieben wurde. Mitte Juni war endlich ein anderer Ort gefunden, im El Prado-Park, nur 50 Kilometer von der Olympiastadt entfernt.

Freiwillig zog sich lediglich eine Sportbranche so weit wie möglich von Los Angeles zurück. Die Reiter gingen nach Fairbanks, 175 Kilometer nach Süden und nahe dem Meer. Der Präsident der Internationalen Reiterlichen Vereinigung, Britanniens Prinz Philip, wollte eigentlich gleich noch ein Stückchen weiter, nach San Diego. Denn die Luft in Los Angeles, fand der weltweit angesehene Tierschützer, sei für Pferde nicht zu ertragen.

Wenn die Bürger damit spaßen, sagen sie: «Hier sehen wir wenigstens die Luft, die wir atmen.» Aber Smog ist ein ernstzunehmendes Übel der Olympiaregion. In dem 120 Kilometer breiten Talkessel mit Bergen an drei Seiten fällt kaum Regen, der wenigstens die Atmosphäre reinigen

158

könnte. Industrie und Autos speien die üblichen Gifte, und bei großer Hitze, sagt Professor Enzer, «kocht die Sonne den Smog geradezu, es ist eine natürliche Smog-Fabrik».

Die kalifornische Behörde für Luftqualitätskontrolle ermittelte Anfang 1983 eine hohe Konzentration an krebserregenden Substanzen in der Atemluft von Los Angeles; ihre Menge überschreitet das bei Trinkwasser zulässige Maß um das Hundertfache. Zwar besorgt der Smog im allgemeinen nur Kopfschmerzen, Atembeschwerden, Verdauungsstörungen oder Erschöpfungszustände, auch schon mal Nasen- und Halsschmerzen. Aber bei Hochleistungssportlern kann es kritisch werden. Dr. William Adams, der an der Universität von Kalifornien die Einwirkung schlechter Luft auf Athleten untersucht, fand heraus, daß Sportler empfindlicher reagieren als der normale Bürger: Sie atmen beim Kämpfen durch den Mund, und sie atmen den Dreck auch noch tiefer ein.

«Falls es soweit ist», sagt Professor Joseph Keul, Mannschaftsarzt der Westdeutschen, «sind die Sportler akut gefährdet, an einer Bronchitis zu erkranken. Besonders im Training, wo hohe Belastungen eingegangen werden, kann es zu Reizzuständen kommen.» Und daß es soweit kommt, ist bei der Zeitwahl für die Spiele nicht auszuschließen. Denn im Juli liegen die Temperaturen in Los Angeles gern bei 35 Grad Celsius und sorgen für dicke Luft. Das Weltfest findet gerade dann statt, wenn, wie ein Regionalblatt anmerkte, «die Temperaturen über 100 Grad Fahrenheit klettern und die einzige Möglichkeit, einen McDonald's oder Burger King zu finden, darin besteht, es zu riechen».

Walter Tröger hofft darauf, daß es vielleicht so schlimm nicht werden wird, und außerdem: «Eine Prophylaxe gibt es nicht.» Abhilfe scheint in der Tat kaum möglich, und so bleiben nur flankierende Maßnahmen. Die Marathonstrecke, die in Los Angeles zum ersten Mal auch von Frauen gelaufen werden soll, wird zunächst direkt am Meer entlang führen, wo die Luft im allgemeinen besser ist. Und erst auf den letzten Kilometern werden die Läufer dann den besonderen

Reiz wahrnehmen, den Los Angeles bei Smog zu bieten hat. Überdies soll während der Spiele ein spezieller Telephonanschluß zur Verfügung stehen, über den Trainer und Athleten Informationen zur Smog-Lage in den verschiedenen Bereichen abfragen können.

«Luftwärme und Feuchtigkeit», sagt Dr. Steven Horvath, Direktor des Instituts für Umweltbelastungen an der Universität von Südkalifornien, «kombiniert mit Umweltgiften in der Atmosphäre, könnten die Sportstadien von Los Angeles zur Hölle für Athleten machen.» Sein Kollege William McCafferty empfahl, die Wettbewerbe kurzfristig zu verschieben, wenn der Smog allzu arg sei, was wiederum Horvath für weltfremd hält: «Da ist zu viel Geld im Spiel.» Die beiden können sich nicht mehr einigen; McCafferty wurde 1982 in Los Angeles ermordet.

Bliebe dann noch das freie Unternehmertum, das so stolz darauf ist, die private Olympiade bezahlt zu haben. Peter Ueberroth, der es eigentlich besser wissen müßte, will die Betriebe der Region freundlich bitten, während der Sommerspiele die Leistung ihrer Produktionsanlagen und damit den Giftspei zu reduzieren.

Doch vieles spricht dafür, daß die Wirtschaft in diesem Punkt ihren Stolz überwinden wird. «Die Firmen befürchten nämlich», sagt Ken Reich, Chef der Olympia-Redaktion bei der *Los Angeles Times*, «einen Präzedenzfall, auf den sie dann später immer wieder festgenagelt werden können. Glaubt es, die Schornsteine werden weiter rauchen.»

7

Paul Moor / Hans Hoyng
Hoffnung für alle Minderheiten

Die Macht der Homosexuellen in San Francisco

Es ist, als ob die Sängerin Judy Garland, einst umjubelte Kultfigur der Homosexuellen Amerikas, wieder lebte. Piano Bars, jene plüschigen Treffpunkte aus repressiven, längst vergangengeglaubten Zeiten, feiern in der schwulen Subkultur ihr Comeback. New Yorks Broadway-Publikum jubelt über ein Schwulenmusical, das mit dem Ausstattungspomp großer Revuen die «Sensibilität der achtziger Jahre» feiert: Zwar singt der Hauptdarsteller trotzig «Ich bin, was ich bin», meint damit aber, zwar schwul –, doch ansonsten genau wie meine Eltern, genau wie das restliche Amerika.

Der Rückzug in die fünfziger Jahre, komplett mit festen Zweierbeziehungen, Treueschwüren und einem bürgerlichen Moralkater ob der plötzlich als lebensgefährlich erkannten Promiskuität, wird von vielen amerikanischen «Gays» keineswegs freiwillig angetreten. Es herrscht Panik.

Mag sein, daß eine überzogene Presseberichterstattung, die nunmehr auch vor drastischen Beschreibungen der dunklen Details der «Szene» nicht mehr zurückschreckt, die Panik angeheizt hat – sicher auch, daß die kaum verhüllte Schadenfreude der Mehrheit aller US-Bürger unter den Homosexuellen Amerikas wieder vergessene Ängste geweckt hat. Die Furcht vor Aids, dem in fast allen Fällen tödlichen Zusammenbruch des Immunsystems, ist jedenfalls begründet – angesichts von fast 2000 dokumentierten Erkrankungen und bisher 750 Toten.

Bei jedem Fieber, jedem Durchfall und jedem blauen Fleck konsultieren homosexuelle Männer angstvoll ihre

Ärzte; die Saunas, die Bars und Pinten, in denen Sex zum jederzeit verfügbaren Freizeitvergnügen feilgeboten wurde, leeren sich, werden geschlossen, sollen mancherorts verboten werden.

Absetzbewegungen von einer vor kurzem noch politisch und kommerziell umworbenen Minorität werden sichtbar: Haitianer, die noch jüngst als Aids-gefährdete Gruppe galten, sehen diese Kennzeichnung als rassistisch an, Lesbierinnen weisen darauf hin, daß die Krankheit neben Drogenabhängigen beiderlei Geschlechts fast ausschließlich männliche Homosexuelle befällt.

Noch geben sich – und sind es wohl auch in einigen Fällen – Behörden und Staatsrepräsentanten liberal und hilfsbereit: 26 Millionen Dollar bewilligte der US-Kongreß für die Erforschung der Krankheit. New Yorks Gouverneur machte zusätzliche Gelder locker, die Bürgermeisterin von San Francisco, der fast offiziellen Hauptstadt der US-Schwulen, rief zur Solidarität mit den Kranken auf.

Noch beschränkt sich offene Homosexuellenfeindlichkeit auf die üblichen Sittenwächter amerikanischer Moral: Jerry Falwell und seine rechtsprotestantischen Kohorten im trauten Verein mit Baseballschläger-bewaffneten Banden, für die das traditionell beliebte «queer baiting», das Schwulenprügeln, nunmehr zur patriotischen Aufgabe wird. «Zerstört Amerika nicht mit Eurer Lust», war auf dem Plakat einer Anti-Gay-Demo in New York zu lesen.

Was die Schönheitskönigin und Sängerin Anita Bryant mit ihrer mittlerweile gescheiterten Anti-Homosexuellen-Aktion «Rettet unsere Kinder» nicht geschafft hat, was die mit Hölle und Verdammnis drohenden Prediger nicht erreicht haben, Aids hat die politisch und sozial erfolgreichste US-Minorität der letzten zehn Jahre in eine tiefe Krise gestürzt.

In mildem Wahn und in seltsamer Allianz glaubten homosexuelle Aktivisten und furchtsame Rechte gleichermaßen, die «Homosexualisierung Amerikas», so ein einschlägiger Buchtitel, habe bereits begonnen: In vielen Broadway-

Stücken der letzten Jahre wurden schwules Leid und schwule Freud als eines der Hauptthemen dargestellt, Hollywood-Produktionen huldigten einem neuen Männlichkeitskult, dessen Tabuüberschreitungen wieder – wie dazumal in prüderen Zeiten – in Zentimetern gemessen werden können.

In den urbanen Zentren, die liberalem Trend weniger Widerstand leisteten als Heartland America, im schicken Kalifornien zumal, da stellte sich heraus: Die Jungs mit den sorgsam geföhnten Haaren, die Weißwein-cum-Perrier trinkenden Softies mit den italienischen Pullis – das waren die «Normalen». Die kurzhaarigen Schnauzbartträger in Levis, Flanellhemden, Arbeitsstiefeln, die Cowboys, die Bauarbeiter, kurz, die amerikanischen Archetypen, das waren, meistens, die Gays, Amerikas neue Macho-Schwule.

Nun ist die politische Stellung der Homosexuellen im öffentlichen Leben der USA in Gefahr. In nur einem Jahrzehnt hat Amerikas Schwulenbewegung auf Erfolge verweisen können, für die andere Minderheiten wie Schwarze und «Chicanos» länger haben kämpfen müssen.

Unter dem politischen Druck homosexueller Aktivisten fielen in 26 der 50 US-Bundesstaaten jene Strafrechtsparagraphen, die bisher homosexuelle Praxis mit meist drastischen Gefängnisstrafen ahndeten. Und selbst wo, wie etwa im Staate New York, die alten «Sodomie»-Paragraphen noch weiterhin meist theoretische Gültigkeit haben, kann beispielsweise der New Yorker Bürgermeister ungestraft Erlasse verkünden, die im städtischen Bereich jede Diskriminierung der Homosexuellen verbieten.

Wie keine andere Stadt der Welt zeigt San Francisco den Aufstieg und die Krise einer Minorität, die sich bis in die sechziger Jahre hinein vor allem durch ihre Fähigkeit zur Anpassung und zum Verstecken auszeichnete. Seit Jahren schon genießt San Francisco bei weiblichen und männlichen Homosexuellen in der ganzen Welt den Ruf, ihre gar nicht so heimliche Hauptstadt zu sein. Auf der Suche nach einer weniger feindselig gesonnenen Umgebung sind Tausende aus allen Bundesstaaten der USA und sogar aus anderen

163

Kontinenten hierhergezogen. Rund 120 000 von 680 000 Einwohnern der Stadt sind homosexuell.

Mehr noch, San Franciscos Homosexuelle stellen 25 bis 30 Prozent aller aktiven Wähler. Seit Jahren hat es kein Kandidat für ein Amt in San Francisco mehr gewagt, eine Erklärung abzugeben, die als antihomosexuell interpretiert werden könnte. Jeder Kandidat muß sich um ihre Stimmen bemühen. Viele Amtsbewerber zögern nicht, direkt in die zahlreichen Schwulen-Bars zu gehen, um ihren zukünftigen Wählern die Hand zu schütteln.

San Franciscos Ruf als Mekka der Schwulen hat eine lange Tradition, die sich, wie alles andere auch in dieser Stadt, bis auf den Goldrausch zurückführen läßt. Zwischen 1848 und 1858 wuchs San Francisco von einem Tausend-Seelen-Dorf zu einer Stadt von 50 000 Einwohnern heran. Die Neuen waren zumeist alleinstehende Männer, Frauen blieben in der Minderheit.

Ironischerweise war es in diesem Jahrhundert dann die Staatsmacht selbst, die ein gut Teil dazu beigetragen hat, daß San Francisco sich zur Hauptstadt der Bewegung entwickelte. Die Stadt wurde im Zweiten Weltkrieg zum wichtigsten Auslaufhafen für die amerikanische Pazifik-Streitmacht. Tausende Homosexuelle wurden hier auf Grund ihrer Veranlagung ausgemustert. Viele wollten oder konnten nicht mehr zurück in ihre Heimatstädte, blieben in San Francisco, wohin – immerhin eine Art Entschädigung für die erlittene Diskriminierung – jährlich Tausende attraktiver junger Männer strömten.

Und erst sie, die bereits offiziell gebrandmarkt waren, die daher auch nichts mehr zu verlieren hatten, waren verantwortlich für das Entstehen einer homosexuellen Subkultur in San Francisco. Früher als anderswo in Amerika führten Polizei und Barbesitzer hier ihren ewigen Kleinkrieg. Hier begannen die Schwulen sich zu wehren.

José Sarria, Manager der Black Cat Bar, eine Erz-Tunte, die durch ihre schrillen Operneinlagen die ursprüngliche Bohème-Klientel vertrieben hatte, führte in den frühen fünfziger Jahren allnächtlich zum Ladenschluß die verbliebenen Besucher an der Hand über die Straße vor den Schwulenflügel des Stadtgefängnisses und brachte den meist für die Nacht Eingelochten ein Ständchen dar: «God save us nelly queens.»

Im Jahre 1959 wurde San Franciscos homosexuelle Subkultur erstmals zum Stadtpolitikum. Um seinem Gegner bei der Bürgermeisterwahl zu schaden, verbreitete Herausforderer Russ Woolden, daß der Amtsinhaber George Christopher nachlässig gegenüber der «homosexuellen Gefahr» auftrete. Unter seiner Führung sei es möglich gewesen, daß sich in der Stadt zwei Schwulengruppen etabliert hätten. Zwar nutzte der Vorwurf nichts, der wiedergewählte Bürgermeister Christopher aber wollte sich derartige Nachlässigkeiten nicht ein zweites Mal vorwerfen lassen und verschärfte den Kleinkrieg gegen die Bars.

José Sarria kandidierte 1961 als erster homosexueller Kandidat für einen Sitz im elfköpfigen Stadtrat, der neben dem Bürgermeister wichtigsten politischen Institution San Franciscos. Daß es dem Kandidaten immerhin gelang, 7000 Stimmen zu erhalten, machte José Sarria zum bevorzugten Ziel der Polizei. 1963 gab er auf, das Black Cat machte zu. Im Kleinkrieg mit den Behörden mußte die Hälfte aller – damals rund 30 – Schwulen-Bars schließen.

Doch dann, in den späten sechziger Jahren, änderte sich das Bild der Stadt gründlich: San Franciscos Hafen verlor ständig an Bedeutung, seitdem auf der anderen Seite der Bucht Oakland modernste Hafeneinrichtungen baute. Die Industrieproduktion – und mit ihr die konservative Arbeiterschaft – zog in die Vororte. Ersatz für die abfließenden Steuereinnahmen sollte eine völlig neu erbaute Downtown bringen. Die Hauptverwaltungen großer Firmen, Banken und das aufblühende Touristikgewerbe traten an die Stelle der sterbenden Industrie. San Francisco, Downtown jedenfalls, wurde zum Manhattan-West.

In die Stadt strömte jetzt eine vorwiegend junge Angestelltenklasse, darunter viele Homosexuelle. Dann machten zum Schrecken der verbliebenen Iren die ersten Schwulen-Bars auf und lockten kuriose Gestalten an: schwule Hippies von der anderen Seite des Hügels. Dort liegt Haight-Ashbury, Ende der sechziger Jahre Treffpunkt aller Ausgeflippten dieser Erde.

Viele Bedingungen kamen zusammen: Auf der anderen Seite der Bucht rebellierten die Studenten von Berkeley, hingen in Haight-Ashbury die Hippies marihuanaverqualmten Träumen von einem friedlichen Leben nach. San Francisco aber hatte Tausende neuer weißer Mittelklasse-Jobs zu bieten und billige Wohnungen.

Die Bürgerrechtsbewegung brachte Leute hervor, die sich – jetzt offen – um die Belange der diskriminierten Minderheit der Homosexuellen kümmerten. Und es gab eine neue Garde junger liberaler Politiker, die sich nicht scheuten, die Stimmen der Schwulen San Franciscos zu suchen: John Burton, später Repräsentantenhausmitglied, Dianne Feinstein, die heutige Bürgermeisterin, George Moscone, ihr 1979 erschossener Vorgänger, Richard Hongisto, ein unorthodoxer Polizist, der 1971 von einer bis dahin unerhörten Koalition aus Schwarzen, Schwulen und Kriegsgegnern zum Sheriff von San Francisco gewählt wurde. Kein Wunder, für junge Gays wurde San Francisco «the place to be», die Stadt mit Zukunft.

Doch das Ereignis, das Amerikas Schwule zu einer Art Bürgerrechtsgruppe zusammenschweißte, fand auf der anderen Seite des Kontinents statt, in Manhattan, einen Tag nachdem Judy Garland starb.

Die Filmschauspielerin, in der so viele Homosexuelle eine Symbolfigur sahen, glamourös und selbstdestruktiv, das Opfer eines von ihr verherrlichten Traumlandes, sei es Hollywood, sei es «Oz», lag aufgebahrt in einem Beerdigungsinstitut in New Yorks eleganter Eastside. Tausende, darunter viele Homosexuelle, zogen an ihrem Sarg vorbei, trafen sich später wieder in Greenwich Village, dem ehemaligen Bohème-Viertel New Yorks, wo auch die Leute mit der «künstlerischen Veranlagung» Unterschlupf fanden.

Mag sein, daß die Besitzer der Stonewall Bar an der Christopher Street die durchaus übliche Bestechungssumme an die Polizei nicht gezahlt hatten. Wie auch immer, am 29. Juni 1969 begann die Polizei eine Razzia im Stonewall. An sich kein ungewöhnliches Ereignis. Was allerdings ungewöhnlich war: Erstmalig stieß die Polizei bei den Schwulen auf Widerstand. Vor der Bar versammelte sich eine Menge aufgebrachter Homosexueller und rief: «Polizei und Mafia, raus aus den Bars!»

Als die Polizisten die verhafteten Barkeeper abführen wollten, wurden sie erst mit Münzen beworfen, dann mit Bierdosen, dann mit Steinen. Besorgt um ihre Sicherheit, verbarrikadierte sich die Staatsmacht in der Schwulen-Bar. An drei aufeinanderfolgenden Abenden war das Village Schauplatz von zum Teil gewalttätigen Auseinandersetzungen – und zum Geburtsort einer politischen Schwulenbewegung geworden, die noch heute den Stonewall-Aufstand als ihren Geburtstag feiert.

Doch es war San Francisco, in der die neue Bürgerrechtsbewegung ihre ersten und sichtbarsten Erfolge feierte. 1971 gründete der schwule Anwalt Jim Foster die erste politische Homosexuellengruppe innerhalb der Demokratischen Partei San Franciscos: den Alice B. Toklas* Club. Dessen Bewährungsprobe kam ein Jahr später. Der liberale Präsidentschaftskandidat George McGovern hatte sich in seinem Wahlprogramm für die Rechte der Schwulen eingesetzt und dafür die Zusage ihrer Unterstützung erhalten. Für die Vorwahl in Kalifornien benötigte McGovern den heißumkämpften Listenplatz eins, der erfahrungsgemäß immer ein paar Extra-Prozente einbringt. Dieser Platz wird traditionell an den Kandidaten vergeben, der als erster genug Unterschriften für seine Kandidatur gesammelt hat.

Jim Foster trommelte die Mitglieder des Alice B. Toklas Clubs zusammen und teilte sie in zwei Gruppen auf. Kurz

*Alice B. Toklas, amerikanische Schriftstellerin, war die Lebensgefährtin von Gertrude Stein.

vor Mitternacht des Stichtages, an dem die Unterschriften-sammlung begann, schickte er die erste Gruppe durch San Franciscos Schwulen-Bars, um dort Wähler registrieren zu lassen. Kurz nach Mitternacht erschien die zweite Gruppe und verpflichtete die Neuwähler auf George McGovern. Am nächsten Morgen hatte Foster bereits ein Drittel aller benötigten Unterschriften zusammen.

Wie immer in der amerikanischen Politik: Wer die Stimmen bringt, wird ins Partei-Establishment aufgenommen. Jim Foster gehörte bald zu den Insidern der Demokratischen Partei. Zusammen mit seinen liberalen Verbündeten veränderte er das Bild von San Francisco.

Und noch eine andere, militantere Schwulengruppe entstand Anfang der siebziger Jahre. Sie kam aus einer Gegend, in der sich nun zunehmend Homosexuelle niederließen: Castro Street. Der Mann, der zunächst zum inoffiziellen Bürgermeister von Castro Street, dann zum ersten offen homosexuellen Ratsherrn der Stadt gewählt wurde und nationale Prominenz erlangte, war damals ein aus New York stammender Jude, ein ausgeflippter Börsenmakler und Goldwater-Anhänger, der sich zum populistischen Big-Business-Gegner wandelte.

«Mein Name ist Harvey Milk», stellte er sich 1973 erstmalig vor einer Wahl in San Francisco vor, «und ich bewerbe mich um das Amt eines Ratsherrn.» Milk, ein dreiundvierzigjähriger Alt-Hippie mit Pferdeschwanz und Schnurrbart, Besitzer eines schlechtgehenden Photoladens an der Castro Street, wurde vom politischen Establishment – inklusive der etablierten Schwulen – fast von der Bühne gelacht: «Wie willst du ohne Geld die Wahl gewinnen? Alle Amtsinhaber haben gutausgestattete Wahlkassen!»

Milks – charakteristische – Antwort: «Nun, da ich mich offen zu meinem Schwulsein bekenne, glaube ich, daß mich irgendein Verrückter über den Haufen schießen wird.» Große Kunstpause, dann: «Ich habe Glück und überlebe. Dann bekomme ich eine Menge Sympathie-Stimmen, dazu noch die liberalen und die schwulen Stimmen.»

Natürlich verlor Milk die Wahl, diese und die nächsten beiden auch noch. Aber er gründete, nunmehr mit kurzen Haaren und präsentabel gekleidet, die Castro Street Business Association, eine Art schwuler lokaler Handelskammer, deren Erfolg den Castro-Boom widerspiegelte: Die Grundstückspreise stiegen, immer mehr Schwule zogen ins Viertel, neue Bars machten auf, Restaurants, Banken. Castro Street wurde zur ersten – fast – ausschließlich homosexuellen Gegend Amerikas.

Für Harvey Milk war das Wachstum der Castro Street zunächst noch ein Beleg, daß seine politischen Vorstellungen durchsetzbar waren: San Francisco sollte eine Stadt von vielen Minderheiten werden, gute Lebensbedingungen für Schwule und Schwarze, Chicanos und Chinesen bieten. Kleinhandel und Kleinindustrie sollten das wirtschaftliche Rückgrat der Stadt sein.

Milks erklärte Gegner waren: die Stadtentwickler, die großen Firmen, die Hotels, das Tourismusgewerbe. Doch mit genau diesen Wirtschaftskräften verbündeten sich Mitte der siebziger Jahre die jungen Liberalen der Demokratischen Partei und mit ihnen das schwule Establishment der Stadt. Der politische Deal wurde zum Gebot der Stunde.

George Moscone, mittlerweile Mehrheitsführer im kalifornischen Senat, wollte Bürgermeister von San Francisco werden. San Franciscos Schwule sollten ihm dazu verhelfen. Mit allen Mitteln boxte er eine Vorlage durch die kalifornische Legislative, die den Straftatbestand von «Verbrechen wider die Natur» abschaffen sollte.

Moscone zog alle Register. Er überfuhr konservative Abgeordnete aus den ländlichen Bezirken Kaliforniens, setzte die demokratische Parteimaschinerie in Gang und gewann. Im einwohnerreichsten Staat der Nation war Homo-Sex künftig straffrei. Moscone erhielt die einhellige Unterstützung aller Schwulengruppen von San Francisco und siegte – denkbar knapp – bei den Bürgermeisterwahlen. Noch in der Wahlnacht dankte Moscone öffentlich der Gay Community, der Schwulengemeinschaft von San Fancisco.

Jim Foster und der Alice B. Toklas Club waren damit endgültig zu einem Machtfaktor in der Demokratischen Partei San Franciscos geworden – zum Ärger der militanten Schwulen von der Castro Street. Harvey Milks Anhänger gründeten daraufhin in Opposition zu den Etablierten den San Francisco Gay Democratic Club, der zunächst von Bürgermeister Moscone und dem gesamten Establishment der Stadt geschnitten wurde.

Erst zwei Jahre später, 1977, gewann Harvey Milk den lange angestrebten Sitz im Stadtrat. In San Francisco wurde das Wahlrecht für den Stadtrat geändert. Die «Supervisors» sollten künftig nicht mehr stadtweit, sondern nach Bezirken gewählt werden. Der Bezirk fünf, in dem sich Harvey Milk zur Wahl stellte, umschloß auch den Bereich Castro Street.

Die Wahl war für Milk ein Spaziergang. Er wurde der erste offen homosexuelle Wahlbeamte der USA. Für eine kurze Zeit schien seine Vorstellung von einer Stadt der guten Nachbarschaften durchsetzbar zu sein: «Dies ist euer Sieg», sagte Milk vor jubelnden Anhängern auf der Castro Street, «wenn ein Schwuler gewählt werden kann, heißt das, es gibt doch Hoffnung für alle Minoritäten – wenn wir nur kämpfen.»

Dazu blieb ihm noch ein knappes Jahr. Zusammen mit anderen Minderheiten wie Schwarzen und Chinesen, die auch erstmals im Stadtrat vertreten waren, und zusammen mit den Gewerkschaften kämpfte er gegen ein San Francisco der Konzerne – überwiegend vergeblich.

Milks Nemesis waren die Grundstücksspekulanten, die Downtown San Francisco in Manhattan und den Hafen in eine einzige Tourismusfalle verwandelt hatten. Besonders mit seiner Gesetzesinitiative, Spekulationsgewinne zu besteuern, geriet Milk mit einem beträchtlichen Teil der etablierten Homosexuellen San Franciscos in heftige Auseinandersetzungen.

Der Castro-Bezirk, sein eigener Wahlbezirk, wurde zum besten Beispiel für die neuen Probleme San Franciscos. Zwischen 1968 und 1978 war die Anzahl von Immobilien-

170

transaktionen dort um 700 Prozent gestiegen. San Franciscos Homosexuelle wurden zu einem bedeutenden Wirtschaftsfaktor. Überwiegend gut bezahlte Arbeitsplätze und, logisch, keine Ausgaben für Familien ermöglichten es den Schwulen, ganze Straßenzüge der alten, vom Verfall bedrohten viktorianischen Holzhäuser aufzukaufen und zu renovieren. Immer mehr kauften sie sich auch in die angrenzenden Bezirke von Schwarzen und Chicanos ein. Die Miete für Milks eigenen Laden stieg 1978 um 350 Prozent und zwang ihn zur Geschäftsaufgabe.

Milks Minderheitenkoalition, durch derartige Entwicklungen nie ganz spannungsfrei, hielt jedoch, als der kalifornische Staatssenator John Briggs eine Gesetzesvorlage zur Volksabstimmung durchbrachte, die, ähnlich wie in Florida, Schwule aus den Lehrämtern entfernen sollte. Kurzfristig verbündete er sich sogar mit dem Alice B. Toklas Club und anderen etablierten Schwulengruppen. Als dann in der Endphase des Wahlkampfes selbst Konservative wie Gerald Ford und Ronald Reagan sich gegen Briggs' Gesetzesvorlage wandten, war dessen Niederlage besiegelt. Größere Unterstützung für die Rechte der Homosexuellen hat es in Kalifornien nie wieder gegeben.

Noch im Wahlmonat, am 29. November 1978, wurden Harvey Milk und Bürgermeister Moscone erschossen. Der Täter, der konservative Ratsherr Dan White, wurde wegen Totschlags in zwei Fällen zu sieben Jahren Haft verurteilt.

Ein Jahr vor seinem Tod hatte Harvey Milk drei Tonbänder besprochen, auf denen er eine Art politisches Manifest hinterließ: «Wenn eine Kugel in mein Gehirn dringt, dann soll diese Kugel jede Tür aufsprengen, hinter der sich noch Schwule verstecken.» «Ich wünschte mir, jeder schwule Rechtsanwalt, jeder schwule Architekt würde vortreten und sich öffentlich bekennen. Das würde mehr zur Beendigung von Vorurteilen beitragen, als man sich vorstellen kann.»

Zum Nachfolger Milks ernannte die neue Bürgermeisterin Dianne Feinstein einen engen Mitarbeiter des Ermordeten, Harry Britt, den Vorsitzenden des San Francisco Gay

Democratic Club. 1979 bestätigten die Wähler den einundvierzigjährigen, aus Texas stammenden Methodistenprediger, der 1968 aus seinem geistlichen Amt ausgeschieden und 1973 nach San Francisco gekommen war, in seinem Amt. Britt, der von anonymen Droh- und Haßbriefen nicht verschont wird, erläutert die politische Macht der Gays: «Ich glaube, die grundsätzlichste Entscheidung, die ein Schwuler treffen muß, ist, wie er es mit der Macht hält. Wir alle leiden darunter, daß die Gesellschaft uns als schwach und unsere täglichen Erfahrungen als nebensächlich ansieht. Das bringt uns in dieselbe Lage wie andere Minderheiten, die als Randerscheinungen gesehen werden und deren Leben sich im Alltag der großen Mehrheit nicht widerspiegelt. Doch die Größe dieses Landes hängt von der Fähigkeit ab, die Erfahrungen von Minderheiten zu integrieren.»

«In den ersten dreißig Jahren meines Lebens», berichtet Britt, «habe ich diese Definition, schwach zu sein, akzeptiert. Ich glaubte, wenn ich überleben wollte, läge meine Stärke in meiner Fähigkeit, den anderen Leuten zu gefallen, mich der Mehrheit anzupassen. Doch mittlerweile bin ich der Überzeugung, daß jede Gruppe, die sich auf ihre Fähigkeit, anderen zu gefallen, verläßt, scheitern muß.»

«Die Gesellschaft», so Britts Fazit, «wird es nicht lernen, sich mit der Erfahrung der Schwulen – oder der Schwarzen, der Frauen, der Zigeuner oder jeder anderen Gruppe – auseinanderzusetzen, solange wir nicht wirklich in der Lage sind, unsere Erfahrungen mitzuteilen. Erst dann wird es etwas geben, an das die Mehrheit sich wirklich halten kann, denn wir können unsere Menschlichkeit in einer Weise mitteilen, daß die Mehrheit anfängt, ihren Begriff von Menschlichkeit zu ändern und dabei ihre eigene Erfahrung bereichert.»

Zu den anderen Einwohnern von San Francisco, die sich offen zu ihrer Homosexualität bekannt haben und heute politische Machtpositionen bekleiden, gehören:

▷ Tim Wolfred, ein Psychologe, der 1980 in das Aufsichtsgremium des Community College gewählt wurde;

▷ Mary Morgan und Herb Donaldson, beide ernannte Richter;

▷ Phyllis Lyon, Vorsitzender der Menschenrechtskommission der Stadt;

▷ Jo Daly, eine lesbische Aktivistin, die in die Polizeikommission berufen wurde; und

▷ Jerry Berg, ein prominenter Anwalt, der im Vorstand des Berufungsamtes arbeitet.

Sie alle sind eher den moderaten, etablierten Homosexuellen zuzurechnen und gehören zum parteipolitischen Apparat, der unter Dianne Feinstein San Francisco beherrscht.

Das Verhältnis der Bürgermeisterin zur Schwulengemeinschaft San Franciscos ist seit Dezember 1982 erheblich gestört. Sie verärgerte viele ihrer schwulen Anhänger, weil sie ihr Veto gegen ein Gesetz einlegte, das «häuslichen Partnern» von unverheirateten städtischen Angestellten Rentenzahlungen gewährt hätte. Homosexuelle wären in San Francisco damit Ehepartnern gleichgestellt gewesen.

Seit dem Veto ist Ratsherr Harry Britt zum schärfsten Kritiker der Bürgermeisterin geworden: «Dianne Feinstein hat nichts unternommen, um die politische Macht der Schwulen in San Francisco zu stärken – Punkt. Sie hat noch nie bei einer Schwulen-Parade mitgemacht. Sie hat hart gegen unsere Bemühungen um eine Polizeireform gekämpft. Es gibt etwa 180 politisch einflußreiche Beamtenposten in San Francisco, die vom Bürgermeister vergeben werden. Sie hat uns mit einer Handvoll abgespeist.»

Die Distanzierung der Bürgermeisterin kommt nicht von ungefähr. Das Bild ihrer Stadt scheint in der US-Öffentlichkeit zunehmend von den bizarren Randerscheinungen der Schwulenszene bestimmt zu werden. Die Sexpaläste, die «Lederszenen», die Handgreiflichkeiten in der Öffentlichkeit sind ihr zutiefst zuwider. Alarmierte San-Francisco-Bürger beschweren sich über Sexorgien in öffentlichen Parks.

Ein schwuler Orden, die blasphemischen «Schwestern von der immerwährenden Befriedigung», stellte eines ihrer

173

Mitglieder gar als Stadtratskandidaten auf. Jack Fertig, alias «Sister Boom Boom, nun of the above» brachte es immerhin auf mehr als 23 000 Stimmen – zum Ärger von Dianne Feinstein, die daraufhin eine Regelung durchsetzte, daß Wahlkandidaten nur noch unter ihrem richtigen Namen auftreten dürfen. Sie appellierte außerdem an San Franciscos Schwule, ihre Normen und ihr Bild in der Öffentlichkeit zu überdenken.

Genau dazu zwingt jetzt – unfreiwillig – die Aids-Epidemie. «Die Angst vor Aids», so der kalifornische Meinungsforscher Mervin Fields, «hätte für die Homosexuellen, die nach Toleranz und Anerkennung streben, zu keinem unglücklicheren Zeitpunkt kommen können. Denn in der Öffentlichkeit werden nicht mehr ihre politischen Erfolge, ihre Integration in die Gesellschaft diskutiert, sondern ihr Sexualleben.»

Daß dabei das Klischee von sexbesessenen, vergnügungssüchtigen Kindesverführern als politische Waffe benutzt werden kann, ist San Franciscos schwulen Politaktivisten allzu klar: «Aids wird zur Basis erneuter gesellschaftlicher Diskriminierung», beklagt sich Konstantin Berlandt, einer der Organisatoren der diesjährigen Gay Freedom Day Parade in San Francisco. «Alle homosexuellen Männer werden jetzt als Risiko eingestuft.»

Dennoch, wie andernorts in den USA hat sich auch in San Francisco die Erkenntnis breitgemacht, daß Aids zunächst einmal das wilde Leben beendet hat. «Die Leute interessieren sich wieder für Monogamie und ihre Häuser», sagt Bill Jones, Besitzer einer Sauna, der rund 60 Prozent Geschäftseinbußen hinnehmen mußte. «Die Party ist zuende.»

8

Laurence Leamer
Die Könige der neureichen Gesellschaft

Die Reagans in Kalifornien

Die Sonne schien, als Ronald und Nancy Reagan ihr Haus in Südkalifornien endgültig verließen. Den größten Teil ihres Lebens hatten sie in Los Angeles gewohnt. Jetzt waren sie mit der Air Force One, dem Präsidentenflugzeug, auf dem Weg nach Washington. Am 20. Januar 1981 wurde der neunundsechzigjährige Ronald Reagan als 40. Präsident der Vereinigten Staaten feierlich in sein Amt eingeführt. Es war nicht nur ein Triumph Ronald Reagans und seiner konservativen politischen Philosophie, es war auch ein Triumph für die Neureichen Südkaliforniens – jene Klasse, die erst nach dem Zweiten Weltkrieg in Amerika entstanden war.

Die amerikanische Arbeitslosenquote lag 1981 bei 7,4 Prozent, die höchste seit Jahren; die Reagans und die anderen sonnengebräunten, reichen Kalifornier sahen jedoch kein Unrecht darin, ihren Reichtum vorzuführen. Sie glaubten an die Symbole des Wohlstands.

So bot die Amtseinführung Reagans Gelegenheit, die Privatvermögen auszustellen, die im kapitalistischen Amerika möglich waren. Und also kamen alle jene zur Inauguration des Präsidenten nach Washington, die das verwirklicht hatten, was Reagan für den amerikanischen Traum hielt. Mit einem Kostenaufwand von 16 Millionen Dollar war es die weitaus teuerste Feier der US-Präsidentschaftsgeschichte.

Sie flogen erster Klasse, aber auch in etwa 400 Firmen-Jets an. Die Damen trugen die Kreationen aller führenden amerikanischen Modeschöpfer: Adolfo, Blass, Saint-Laurent, Galanos und de la Renta.

Wohin sie auch gingen, die Kalifornier wurden überall hofiert. Im vornehmen Fairfax-Hotel zum Beispiel erhielt Betsy Bloomingdale, Nancy Reagans engste Freundin, vom Besitzer einen Steuben-Elefanten aus Kristall als Geschenk, viele hundert Dollar wert. Marion Jorgonson, eine andere Freundin Nancy Reagans, gab für ihre Landsleute ein Essen im luxuriösen Jockey Club. Die Speisekarten trugen mit ihrem Angebot an frischem Obst und kalifornischen Weinen den Stempel kalifornischer Cuisine. An einem anderen Abend gab Peter Hannaford, ein früherer Mitstreiter Reagans, eine Party unter dem Motto «Die Kalifornier sind im Kommen». Auf seinem Haus in Washington hatte er die kalifornische Staatsflagge gehißt.

In jener Woche zeigten sich die Reagans auf den Veranstaltungen als ein Paar von so fürstlicher Pracht, wie Washington es noch nie erlebt hatte. Wohin sie auch gingen, überall erblickten sie Kalifornier. Die Feierlichkeiten anläßlich der Amtseinführung glichen einer Hollywood-Premiere. Wie die Reagans so auf einem erhöhten, blumenbekränzten Podest Hof hielten, wirkten sie wie das erste amerikanische Fürstenpaar.

Johnny Carson, der berühmte TV-Showmaster, blickte von der Gala-Bühne auf die Reagans. «Ich bin zwar erst drei Tage hier, aber ich habe in meinem ganzen Leben noch nie so viele Diners, Empfänge, Partys und Bälle erlebt. Und die sind nicht billig. Selbst auf den Toiletten des Shoreham-Hotels werden Eintrittskarten verlangt.»

In der gesellschaftlichen Welt Südkaliforniens werden die Menschen weitgehend nach Äußerlichkeiten beurteilt. Wo man wohnt und in welche Schule man seine Kinder schickt, welche Restaurants man besucht, welchen Clubs man beitritt und in welche Kirche die Familie geht – all das ist von entscheidender Bedeutung.

Nancy Reagan war ein gewandter gesellschaftlicher Aufsteiger. In der Gesellschaft von Los Angeles setzte sie ihre gesellschaftlichen Kletterhaken immer höher an. Die beiden Kinder der Reagans, Patti und Ron, besuchten stets die richtige Privatschule. So kamen die Reagans mit vielen wohlhabenden und erfolgreichen Ehepaaren zusammen. In der Dye-Schule zum Beispiel war eine der Mütter, die abwechselnd die Reagan-Kinder zur Schule fuhren, Mary Jane Wick, die Frau von Charles Z. Wick, Filmproduzent und Geschäftsmann in Los Angeles.

Mary Jane, ein ehemaliges blondes Mannequin, verbrachte den größten Teil ihrer Zeit damit, ihre fünf Kinder aufzuziehen und für ihren Mann zu sorgen. Ihr ältester Sohn war Patti Reagans Klassenkamerad. Charles Z. Wick schien eine Gestalt aus dem Kopf des Dichters Sinclaire Lewis: ein forscher Hollywood-Macher, dessen größte Produktion «Snow White and the Three Stooges» hieß («Schneewittchen und die drei Deppen»), und der rechtzeitig in eine neue kalifornische Industrie eingestiegen war – Pflegeheime für die Alten. Die Reagan-Kinder freundeten sich mit den Wick-Kindern an, so daß sich zwischen den beiden Familien alsbald enge Beziehungen entwickelten.

Die beiden Frauen wurden für die «Colleagues» tätig, eine der angesehensten Wohltätigkeitsorganisationen in Los Angeles. Sie wurde 1950 gegründet, um Gelder für das Barton House, eine Art Heim für Frauen in Not, zu sammeln. Alljährlich im Mai veranstalteten sie den exklusivsten karitativen Kleiderverkauf von Los Angeles. Viele Jahre lang fand er in einem Privathaus im teuren Bel Air-Viertel statt. Ob sie nun die Kleider sortierte, sie mit Preisen auszeichnete oder als Verkaufsdame auftrat – stets war Nancy Reagan von erbarmungslosem Charme.

Es war gar nicht so leicht, bei den «Colleagues» aufgenommen zu werden. Der Aufnahmemodus glich dem Verfahren für die feinen Vereinigungen von amerikanischen College-Studentinnen. Die Damen der «Colleagues» fuhren durch die einzelnen Bezirke von Los Angeles und sammelten Kisten voll Kleidern und Mänteln ein. Nancy fuhr damals nur einen Kombiwagen, aber das war nicht wichtig. Entscheidend war allein, daß sie dazugehörte.

Nancy Reagan gewann durch die Verbindungen ihres

Mannes aber auch andere neue Freunde. Reagan hatte 1946 Holmes Tuttle, einen der größten Autohändler in Los Angeles, kennengelernt, als er sich einen Ford kaufte. Nachdem die Reagans sich dann in den gesellschaftlichen Kreisen in Los Angeles bewegten, fernab von allem Hollywood-Klüngel, begannen die Tuttles, mit den Reagans zu verkehren. Reagan war von den Business-Tycoons der südkalifornischen Region sehr beeindruckt, denn er war ein geborener Heldenverehrer und sah in diesen neuen Freunden die wahren Aristokraten seiner Zeit. Für Reagan war an den Männern etwas Reales, etwas Greifbares, das er bei den Hollywood-Leuten nicht fand.

Die Reagans schienen überall, wohin sie auch gingen, neue reiche Freunde aufzulesen. Auf einer Party hatten sie Alfred und Betsy Bloomingdale kennengelernt. Multimillionär Bloomingdale war früher einmal als Theaterregisseur tätig gewesen. Frau Bloomingdale war eine charmante, imposante Dame, stets perfekt gekleidet. Nancy bewunderte ihren Stil und die Kleider, die Freundin Betsy zu den Diners der «Colleagues» trug. Zu einem ersten ausführlichen Gespräch mit ihrer neuen Freundin aber kam es erst, als sie und Reagan ihre Tochter Patti in ein Feriencamp brachten, das auch die Bloomingdale-Tochter besuchte.

Während Reagan als Redner der Firma General Electric durch die Vereinigten Staaten reiste, hielt er immer wieder Variationen einer Ansprache, die später als «die Rede» bekannt wurde. Es war eine patriotische, konservative, mitreißende Hymne auf die traditionellen amerikanischen Werte und auf einen uneingeschränkten, amerikanischen Kapitalismus. «Das war eine großartige Rede», fand Holmes Tuttle, einer der reichen Freunde Reagans, «laß uns den Mann als Kandidaten für das Gouverneursamt aufstellen.»

So wurde Reagan mit der finanziellen Unterstützung seiner Millionärs-Freunde 1966 zum Gouverneur von Kalifornien gewählt. In Sacramento, der Hauptstadt Kaliforniens, stellten die Bloomigdales, Milners, Jorgonsons und andere für das Miethaus der Reagans antike Möbel im Werte von

25 000 Dollar zur Verfügung. Zwei Jahre später kauften 17 Reagan-Freunde das ganze Haus für die Gouverneurs-Familie und vermieteten es an sie zurück. Diese Praktiken wären einige Jahre später, in der Watergate-Ära, ernsthaft in Frage gestellt worden.

Nach zwei Amtsperioden in Sacramento waren die Reagans die Könige der neureichen konservativen Gesellschaft Südkaliforniens. Sie besaßen ein teures Haus in Pacific Palisades und eine 278-Hektar-Ranch oberhalb von Santa Barbara. Geschickte Investitionen hatten sie zu Millionären gemacht.

Holmes Tuttle, Justin Dart, der Verleger Walter Annenberg und Earle Jorgonson waren die Männer, die Reagans politische Karriere mit Rat und Tat unterstützten und finanzierten. Sie gehörten nicht dem protestantischen Business Establishment an. Bloomingdale und Annenberg waren Juden, Salvatori und Wilson Katholiken. Auch waren sie größtenteils nicht die «Selfmademen», als die sie sich gern hinstellten. Fast alle waren in einen gewissen Wohlstand hineingeboren.

Ihre Frauen gehörten jetzt der sogenannten «Group» an, der exklusivsten gesellschaftlichen Clique in Los Angeles. «Viele von ihnen», bemerkte eine prominente Dame der Gesellschaft, «wollen es in ihrem Leben zu etwas bringen. Als Nancy zur Frau des Gouverneurs aufstieg, sahen sie darin eine Chance. Es ist eine Clique, der es nichts ausmacht, andere zu hofieren. Sie brauchen einander aufs allernötigste. Sie leben in einer Welt der Illusionen und wollen über nichts nichts sagen.»

Die Damen der «Group» kleideten sich alle gleich. Sie sahen sogar alle gleich aus. Die meisten von ihnen hatten sich entschlossen, als Blondinen aufzutreten. Sie ließen sich das Gesicht liften, verbrachten Wochen auf Schönheitskuren, trieben regelmäßig Gymnastik und sahen erstaunlich jung aus, obwohl sie zumeist Mütter oder gar Großmütter waren. Ronnie und Nancy Reagan waren der First Lord und die First Lady dieser Clique.

Die Damen waren dafür bekannt, gern zu feilschen und auf einem Sonderrabatt zu bestehen. Am 14. April 1975 wurde Betsy Bloomingdale erwischt, als sie auf dem Los Angeles International Airport zwei Dior-Kleider einschmuggeln wollte. Die Kleider hatten einen Wert von 3880 Dollar. Betsy mußte eine Geldstrafe von 5000 Dollar bezahlen.

«Nancy ist ein nehmender, kein gebender Mensch», sagte Dorothy Tuper, Geschäftsführerin des Amelia Gray's, des einstigen Lieblingsgeschäfts der First Lady. «Einmal wurde ein Mantel im Werte von 2500 Dollar geliefert. Die Besitzerin, Amelia Gray, schenkte ihn ihr. Nancy Reagan versteht nur zu nehmen.»

Seitdem Reagan ins Weiße Haus eingezogen ist, werden die beiden mehr denn je hofiert. Doch die Freunde sind alt. 1982 starb Alfred Bloomingdale mitten in einem Skandal, in dem seine Geliebte ihn sado-masochistischer Praktiken beschuldigte, an Krebs. Zwei weitere enge Freunde Reagans sind ernsthaft erkrankt. Nancy Reagan selbst ist im Weißen Haus erheblich gealtert.

Ronald Reagan aber reitet weiterhin gleich einem alterslosen Cowboy-Helden in den Sonnenuntergang.

9

Manfred Henningsen
Panorama des nächsten Jahrhunderts

Die neue pazifische Weltkultur

Als Mike Mansfield noch Mehrheitsführer im Senat war, erschreckte er in regelmäßigen Abständen die europäischen Politiker mit der Forderung, die US-Truppen aus Europa abzuziehen oder sie zumindest drastisch zu verringern. Er verknüpfte diese Forderung immer mit dem für europäische Ohren kryptisch klingenden Hinweis darauf, daß die pazifischen Interessen Amerikas wichtiger seien als die alten Beziehungen zu Europa. Heute versucht Mansfield als amerikanischer Botschafter in Tokio die «pazifische Wende» auch für Amerikaner sichtbar zu machen und zu fördern.

Was dabei in den sechziger und frühen siebziger Jahren Europäern schon wegen des Vietnam-Desasters unvorstellbar erschien, hat sich inzwischen erfüllt: Mansfields Vorhersage, daß die pazifischen Wirtschaftsbeziehungen der USA die atlantischen überrunden würden. Kalifornien, Amerikas nationalökonomisches Kraftzentrum, ist – in den Worten des ehemaligen Gouverneurs Jerry Brown – eine «pazifische Republik». «Meiner Meinung nach», so Mansfield, «wird das nächste Jahrhundert das Jahrhundert des Pazifik sein. Denn um dieses riesige Becken ist die Mehrheit der Völker der Erde angesiedelt – vier südamerikanische Länder, das ganze Zentralamerika, das ganze Nordamerika, Australien, Neuseeland, Japan und der Rest Ostasiens und alle Inseln dazwischen.»

Mansfield stützt seine pazifische These mit ökonomischen Zahlen ab. Im Jahre 1975 habe der zweiseitige Handelsverkehr mit Ostasien 42 Milliarden Dollar betragen, im Jahre

181

1981 bereits 127 Milliarden Dollar – allein auf Japan entfielen 63 Milliarden Dollar. Mansfield: «Während der letzten vier Jahre hat Ostasien Westeuropa überholt, das unser primärer Handelspartner gewesen ist, und dieser Trend wird sich in den nächsten Jahren fortsetzen.»

Im Forschungsamt des Hauptquartiers des pazifischen Oberbefehlshabers auf Hawaii hatten Futurologen bereits im Juni 1980 errechnet, daß die US-Importe aus Asien jene aus Europa um elf Milliarden Dollar übersteigen. Ihre Schlußfolgerung: «Als ökonomische Region wächst Asien schneller als Europa.»

Die Futurologen in Uniform bemerkten aber auch, was Mansfields Job in Tokio so gefährlich macht, nämlich die wachsenden Defizite im Handelsverkehr der Vereinigten Staaten mit Japan und die im Vergleich dazu positive Bilanz mit Europa. Mansfield gibt aber zu bedenken, daß «die Gewinne aus amerikanischen Investitionen in Japan und Ostasien höher als in irgendeiner anderen Gegend der Welt sind».

Vor allem während der weltweiten Depression der letzten Jahre haben, wie der Politikwissenschaftler Robert Stauffer von der Universität Hawaii festgestellt hat, amerikanische Multis durch Investitionen im Ausland ihre negativen einheimischen Bilanzen ausgeglichen. Ihre Gewinnmargen lassen sich zwar keineswegs mit den Erwartungen asiatischer Kapitalisten vergleichen, deren Karrieren an die Lebensgeschichten der amerikanischen Industriekapitäne im späten 19. Jahrhundert erinnern. Doch Mansfield spricht den Managern der amerikanischen Multis aus der Seele, wenn er die pazifische Zukunft ausmalt: «Diese Gegend enthält freundliche Völker, im großen und ganzen freundliche Regierungen, riesige Märkte und ungeheure Ressourcen. Und die Entwicklung des pazifischen Beckens wird im großen Maße von der Stärke, der Verläßlichkeit und der Dauerhaftigkeit der japanisch-amerikanischen Beziehungen abhängen. Deshalb spielt sich hier im Pazifik und in Ostasien alles ab, was Bedeutung hat; hier liegt unsere Zukunft.»

182

Futurologen, die diese Zukunft für ihre multinationalen Auftraggeber in strahlende Megatrends übersetzen, entwerfen bereits Panoramen vom Jahre 2010. Einer von ihnen ist Hank Koehn, Vizepräsident der Security Pacific Bank und Direktor der bankeigenen futurologischen Forschungsabteilung. Nach seiner Vorhersage wird sich im Jahre 2010 Los Angeles als Finanz- und Handelszentrum der Region etabliert haben, Singapur zum Schaltplatz aller Computer-Software-Firmen aufsteigen und Hawaii auf Grund seines Klimas, seiner Völkermischung und idealen Mittellage im pazifischen Becken zum Treffpunkt der pazifischen Nationen aufsteigen.

Japanische Futurologen entwickeln bei ihren Analysen der «pazifischen Zukunft» einen ethnozentrischen Kulturchauvinismus, der in seinen Spielarten geradezu wilhelminische Ausmaße annimmt. Im Programmheft einer Konferenz über den «Beginn des neuen pazifischen Zeitalters», die kürzlich auf Hawaii stattfand, wird von den japanischen Organisatoren zunächst, wie es scheint, zurückhaltend erklärt: «Der Brennpunkt der Weltgeschichte bewegt sich zum pazifischen Becken, wo sich zwei Zivilisationen – die fast völlig ausgereifte westliche Zivilisation und die asiatische Zivilisation, von der China das Zentrum ist – begegnen. Die Zivilisation der Wissenschaft und Technologie, die im Westen blühte, ist bereits dabei, ihren Zenith zu überschreiten.»

«Die rapide gleichzeitige Entwicklung der Computer- und Kommunikationstechnologie haben den kulturellen Austausch dieser beiden Regionen dramatisch beschleunigt», heißt es weiter, und damit «die Bedingungen erfüllt für die Schaffung einer neuen Ära der Zivilisation.»

In dieser «neuen Ära der Zivilisation» ist jedoch weder vom Westen noch vom chinesischen Zentrum der asiatischen Zivilisation die Rede. «Um die gegenwärtige chaotische Weltsituation zu überwinden», so die Japaner im Programmheft, «muß die Schaffung der pazifischen Ära unter der dynamischen Führung einiger weniger Nationen Einflüsse nach allen Richtungen haben.» Aber plötzlich gibt es nur noch einen Führer: «Die Hauptquelle der neuen Welle der pazifischen Ära kann in Japan gefunden werden. Japan ist ein technologisch hochentwickeltes Land, das auch eine ‹spirituelle› Zivilisation besitzt. Dies», so begeistern sich die japanischen Autoren, «ist ein außerordentliches und überraschendes Phänomen. Japan könnte sich als Führer in einer sehr wichtigen Position bei der Schaffung der pazifischen Zivilisation befinden.»

Angesichts solcher Spekulation werden auch die Ängste vor einem Wiedererwachen des japanischen Militarismus deutlich. Die Unfähigkeit Japans, mit seiner kriegerischen Vergangenheit ins Reine zu kommen, hat die früheren Opfer japanischer Aggressionen in Asien immer beunruhigt. Die Ursachen und Begleitumstände für Japans neuerlichen Aufstieg zur Weltmacht werden diese unguten Gefühle eher verstärken. Denn die pazifische Wende wird von Sozialwissenschaftlern, die in globalen historischen, politischen und ökonomischen Zusammenhängen denken, im Zusammenhang mit einer Umstrukturierung gesehen, die das ganze ökonomische Weltsystem erfaßt hat.

Der «Verlust der Hegemonie», von der der amerikanische Politikwissenschaftler Robert Stauffer spricht, sei kein vorübergehendes Phänomen, sondern der Anfang vom Ende der hegemonialen Stellung Amerikas im ökonomischen Weltsystem. Die USA befänden sich heute dort, wo Großbritannien, Amerikas Vorläufer als hegemoniale Wirtschaftsmacht, vor dem Ersten Weltkrieg gewesen sei. Und so, wie sich damals das wilhelminische Deutschland und die Vereinigten Staaten um die Übernahme des britischen Hegemonialerbes stritten und diesen Streit erst mit der Vernichtung Nazi-Deutschlands beendeten, so zeichne sich heute ein neuer Erbstreit ab. Für Sozialwissenschaftler ist noch unentschieden, ob diese Erbfolge einfach auf Japan übergeht, das dann mit dem Seniorpartner USA, vergleichbar dem früheren Verhältnis von USA und Seniorpartner Großbritannien, ein geteiltes Weltreich errichten wird.

Der amerikanische Soziologe Immanuel Wallerstein, der

in einem mehrbändigem Werk über das moderne Weltsystem («The Modern World System») die Entwicklung politökonomischer Strukturen und Prozesse seit dem 16. Jahrhundert aufzuzeigen versucht, und der in England und Holland lehrende deutsche Sozialwissenschaftler Andre Gunder Frank, der mehrere Werke zur gegenwärtigen Weltkrise vorgelegt hat, neigen der Teilungsthese zu. Da beide Wissenschaftler wegen ihrer marxistischen Überzeugungen keineswegs zum universitären Establishment der bezahlten Politberater gehören, sind ihre Detailprognosen noch interessanter. Denn für Frank steht fest, daß es trotz aller Spannungen zur Bildung einer Achse Washington-Tokio-Peking kommen wird.

Wallerstein bereichert dieses globale Achsendenken um die Achse Paris-Bonn-Moskau. Er begann 1980 einen Aufsatz über «Freunde als Gegner» mit diesem ominösen Sätzen: «Das Jahr 1980 markiert die Mitte in einem globalen Prozeß: die ständige Erosion der hegemonialen Stellung der USA in der Weltwirtschaft. Der politische Schlüssel dieser Hegemonie ist ein starkes Bündnis mit Westeuropa und Japan gewesen. Bis 1967 beherrschten die USA die globale militärische Arena und die Weltwirtschaft – einschließlich der Märkte der anderen Industrieländer –, und Westeuropa und Japan folgten der US-Führung willig und vollkommen. Bis 1990 werden die früheren Alliierten sich von den Vereinigten Staaten getrennt haben.»

Frank würde dieser Prognose über den Hegemonieverlust zustimmen, aber deutlichere Akzente setzen. In einem neuen Buch («From Atlantic Alliance to Pan-European Entente») formuliert er das so: «Die Vereinigten Staaten würden ihren offenkundig unvermeidlichen Verlust der Hegemonie in Europa zusehends bestätigt finden, aber könnten sich dadurch befreit sehen, ihre ökonomische und politische Aufmerksamkeit zusehends auf den Pazifik einschließlich Teilen Lateinamerikas und Asiens zu verschieben, in deren Richtung mächtige Kräfte, wichtige amerikanische politökonomische Interessen sowieso ziehen.»

Wie immer diese politökonomischen Geschichtsvisionen im einzelnen auch aussehen mögen, die pazifische Wende Amerikas wird als Folge- oder Begleiterscheinung, nicht aber als Ursache einer solchen globalen Umstrukturierung verstanden. Dies wird übrigens auch von einem anderen sozialwissenschaftlichen Makrotheoretiker behauptet, der allerdings auf den amerikanischen Hegemonieverlust keine grandiose europäische Erneuerung folgen läßt. Für den Norweger Johan Galtung, der bis vor wenigen Jahren sozialwissenschaftlicher Vordenker für die Vereinten Nationen an den UN-Universitäten in Genf und Tokio und im Winter 1982/83 Fellow am Berliner Wissenschaftskolleg gewesen ist, wird das Zentrum des Weltsystems auf Japan übergehen und von dort möglicherweise nach Malaysia, Indien und schließlich China wandern.

Diese Wanderung des Zentrums erfolgt bei Galtung im Zuge von Schrumpfungs- und Expansionsprozessen, die das kosmologische Existenzgefühl einer ganzen Zivilisation erfassen und das Weltverhalten ihrer Menschen bestimmen. Galtung – mit Robert Jungk Gründungsmitglied der World Futures Studies Federation – sieht allein in der europäischen Friedensbewegung und den Grünen Hoffnungzeichen für Europa. Die Grünen preist er als Vorboten einer alternativen europäischen Kosmologie, deren Welt- und Politikverständnis Europa mit humaneren, gerechteren, weniger aggressiven, zerstörerischen und expansionistischen Vorstellungen in eine Art neues Mittelalter überführen könnte.

Europa, so Galtung, habe gleichsam seine alte Kosmologie in den wissenschaftlichen, technologischen, imperialen, ökologischen, ökonomischen und revolutionären Expansionen der letzten 500 Jahre verausgabt und einen notwendigen zivilisatorischen Schrumpfungsprozeß begonnen. Das Europa, das den Rest der Welt als Peripherie behandelt hat, wird jetzt selbst zur Peripherie eines Zentrums, das nach Asien wandern wird. Amerika wird nach Galtungs Perspektive übrigens am gesamtwestlichen Schicksal einer Gesundschrumpfung teilhaben oder untergehen.

Galtungs Vision der Zukunft bleibt offen für die religiösen und philosophischen, die ästhetischen und ökologischen Veränderungen der Zivilisationen. Aber auch Galtung denkt unter einem Geschichtszwang, dem Zivilisationen, Gesellschaften und Menschen angeblich nicht entrinnen können. Seine Wanderungskarte für das Zentrum des ökonomischen Weltsystems enthält eine etwas zu mechanistisch orientierte Verlaufsrichtung. Daß Malaysia zum Beispiel irgendwann das Erbe von Japan übernehmen werde, wie er jüngst erklärte, habe allein mit dem Vorhandensein einer eingewanderten chinesischen Managerklasse in jenem Staat zu tun, die laut Galtung denkerisch und psychologisch dazu prädestiniert sei, das Zentrum des Weltsystems zu übernehmen und zu verwalten. Anti-chinesische Unruhen könnten den kosmologischen und rassischen Frieden in Malaysia aber so radikal ändern, daß das Land – wie etwa Sri Lanka – in kurzer Zeit in proto-faschistischer Friedhofsruhe erstarren würde.

Wie zweifelhaft Galtungs Vorhersagen für die Nachfolge im Zentrum des Weltsystems auch sein mögen, und wie ungerührt er die Inselwelt von Mikronesien bis Neuseeland und Melanesien im Ozean außer acht läßt, seine kosmologische Perspektive hat das globale Zukunftsdenken vor einem ökonomischen Determinismus bewahrt.

Der amerikanische Kulturhistoriker William Irwin Thompson jedoch hat die westlichen Möglichkeiten wieder ins Bewußtsein gerufen und damit die Chancen kosmologischer Erneuerung aus den Produktivitätszwängen des Weltsystems und seinen regionalen Beschränkungen befreit. In seinem 1982 erschienenen Buch «From Nation to Emanation», griff er das Thema der pazifischen Wende auf: «Was das Mittelmeer für die klassische Zivilisation war und was der Atlantik für die industrielle Zivilisation war, das ist der Pazifik für die planetarische Kultur.»

Diese neue Kultur erscheint visionär im Denken kalifornischer Philosophen, Poeten, Wissenschaftler und religiöser Eklektiker, die schon immer Distanz zur europäisierten

Ostküste gehalten haben und von den Weisheitstraditionen der pazifischen Inseln und Asiens angezogen worden sind. Die pazifische Wende bedeutet für Thompson einen Kosmologiewechsel, der bereits in kleinen Gemeinschaften vorgelebt wird, die Mystik, Meditation und alternative Lebensformen zu einem neuen west-östlichen Zivilisationsstil zu verbinden suchen.

Thompsons eigene Gründung, die «Lindisfarne Association», organisiert Meditationszentren in New York und in den Bergen Colorados. Sein intellektuelles Programm zeigt aber am besten den Kern der kalifornischen Überlegungen, den skeptische Beobachter aus Europa und von der Ostküste so schwer von intellektueller Scharlatanerie unterscheiden können. Im Lindisfarne-Programm heißt es: «Lindisfarne ist eine Vereinigung von Individuen und Gruppen aus der ganzen Welt, die sich dem Heraufziehen einer neuen Weltkultur gewidmet haben. Indem sie das Heilige in allen Formen menschlicher Tätigkeit und Kultur suchen, teilen die Mitglieder der Vereinigung die folgenden Ziele: die spirituelle Umformung des individuellen Bewußtseins; die Erreichung der inneren Harmonie der großen Universalreligionen; die Resakralisierung der Beziehungen zwischen Natur und Kultur durch die Entwicklung einer angemessenen Technologie für die neue meta-industrielle Kultur; und die Erhellung der spirituellen Dimensionen der Weltordnung.»

In diesem Programm, das Kalifornier wie den Wissenschaftler Gregory Bateson, den Dichter Gary Snyder und den früheren Gouverneur Jerry Brown angezogen hat, fehlt es an Vorschlägen für konkrete Eingriffe in den Prozeß des modernen Weltsystems. Aber diese Abstinenz gehört zur Strategie des Wartens, die Thompson den keltischen Mönchen des alten Lindisfarne-Klosters auf der nordenglischen Felseninsel abgeschaut hat, die im 7. und 8. Jahrhundert den Verfall der frühmittelalterlichen Ordnung erlebten, während sie selbst bereits das Heraufziehen der neuen Strukturen erwarteten.

Das Warten der Lindisfarne-Denker ist kein Warten auf

Godot oder gar geschichtsphilosophischer Voyeurismus. Die Drohung einer planetarischen Katastrophe, die durch das einmalige Erlebnis eines globalen Nuklearkrieges oder den schleichenden Zivilisationstod der ökologischen Entropie ausgelöst werden kann, hat diesen Denkern ein Bewußtsein erlaubt, in dem alle bisherigen und zeitgenössischen menschlichen Gemeinschaftsformen, Meditationspraktiken und Reflexionsstile zur Besichtigung freigegeben sind. Es ist der Zustand der Suche und nicht der Lähmung.

Die Visionen vom Untergang, die Hieronymus Bosch am Ende des 15. Jahrhunderts verfolgt haben, zeigen einstürzende Himmel und brennende Städte. «Nun», wie der Gründer der neuen Lindisfarne bemerkt, «die Welt endete nicht im Jahre 1500, und wir erwarten noch immer die Wiederkunft Christi, aber aus einer anderen Perspektive endete das Weltsystem 1500. Im Wechsel von der heiligen und zentripetalen Zivilisation des Christentums zur säkularen und zentrifugalen Weltökonomie der kommerziellen Zivilisation endete eine Welt und begann eine neue. Niemand, der 1500 gelebt hat, hätte diese Transformation ‹sehen› können, denn zivilisatorische Transformationen sind keine historischen Ereignisse im Zeitrahmen des bewußten Lebens des Ego; aber der Künstler, dessen bewußtes Leben nicht beschränkt wird vom begrenzten Ego, kann das Leben der Gattung fühlen, und deshalb machen seine Kunst oder Aussagen die unsichtbare Transformation sichtbar, nicht als ein historisches Ereignis, sondern als zivilisatorisches Ereignis, als Prophetie oder als Kunstwerk.» Die Musik von Stockhausen, Filme von Werner Herzog und Peter Weir, Romane von Doris Lessing, Visionen des Dalai-Lama, eines Hopi- und eines Muskogee-Indianers sind für ihn die zeigenössischen Zeugnisse, die die Transformation ankündigen.

Thompsons kalifornische Vision der Zukunft bleibt hoffnungsvoll. In seinem Buch findet sich jedenfalls dieser abschließende Kommentar über die pazifische Wende, der das Thema als Hoffnung ausklingen läßt: «Ein modernes Weltsystem zieht an den Ufern des Pazifik herauf, und so, wie der östliche Mystizismus auf die westliche Wissenschaft trifft, wird eine völlig neue Weltkultur geboren. So, wie wir uns von einer Kultur des Wettbewerbs, der Akkumulation und des Konflikts in der industriellen Zivilisation zur Kooperation, Teilhabe und Co-Evolution in der planetarischen Kultur weiterbewegen, werden wir einen Evolutionsschritt machen, der in unserer Entwicklung so wichtig ist wie der vom Tier zum Menschen.»

Die Möglichkeiten des Scheiterns oder völligen Zusammenbruchs schließt er zwar nicht aus. Doch sein irisch-amerikanisches Bewußtsein nimmt das Risiko eines Dritten Weltkrieges als Herausforderung an, wenn er verkündet: «In diesem Augenblick, in dem wir uns auf der Kippe zu einer großen Transformation befinden, sind wir prophetisch inspiriert und politisch gewappnet wie nie zuvor.» Und wahrscheinlich bedarf es dieser kalifornischen Bewußtseinshaltung, um die pazifische Wende nicht dem kriegerischen Geist der kalifornischen Millionäre um Ronald Reagan oder den militanten Vertretern eines ethnozentrischen Japans zu überlassen.

In beiden Fällen würde die neue Welt des Pazifik jenen Reichen zum Verwechseln ähnlich sehen, die Orwell in seinem Roman «1984» als angepaßten Verhaltens-Gulag skizziert hat. Der «letzte Mensch in Europa», um Orwells Reservetitel für sein Buch zu zitieren, könnte dann dem letzten Menschen im Pazifik die Hand reichen, bevor sie sich gemeinsam in die Luft jagen.

SPIEGEL-BUCH

Der Minister und der Terrorist
Gespräche zwischen Gerhart
Baum und Horst Mahler
(vergriffen)

Überlebensgroß Herr Strauß
Ein Spiegelbild – Heraus-
gegeben von Rudolf Augstein
(vergriffen)

Ariane Barth/Tiziano Terzani
Holocaust in Kambodscha
(vergriffen)

Hans Werner Kilz (Hg.)
Gesamtschule
Modell oder Reformruine?

Renate Merklein
Griff in die eigene Tasche
Hintergeht der Bonner
Sozialstaat seine Bürger?

Werner Meyer-Larsen (Hg.)
Auto-Großmacht Japan

Marion Schreiber (Hg.)
Die schöne Geburt
Protest gegen die Technik
im Kreißsaal

Wolfgang Limmer
**Rainer Werner Fassbinder,
Filmemacher**
(erweit. Neuaufl. Sept. 1982)

Fritjof Meyer
**China – Aufstieg und Fall
der Viererbande**

Hans Halter (Hg.)
Vorsicht Arzt!
Krise der modernen Medizin

Adam Zagajewski
Polen
Staat im Schatten der
Sowjetunion

Paul Lersch (Hg.)
Die verkannte Gefahr
Rechtsradikalismus in der
Bundesrepublik

Hans-Dieter Degler (Hg.)
Vergewaltigt
Frauen berichten

Michael Haller (Hg.)
Aussteigen oder rebellieren
Jugendliche gegen Staat
und Gesellschaft

Wilhelm Bittorf (Hg.)
Nachrüstung
Der Atomkrieg rückt näher

Timothy Garton Ash
**Und willst du nicht
mein Bruder sein...**
Die DDR heute

Werner Harenberg
Schachweltmeister

Jürgen Leinemann
Die Angst der Deutschen
Beobachtungen zur
Bewußtseinslage der Nation

SPIEGEL-BUCH

SPIEGEL-BUCH

Rolf Lamprecht
Kampf ums Kind
Wie Richter und Gutachter
das Sorgerecht anwenden

Jochen Bölsche (Hg.)
Natur ohne Schutz
Neue Öko-Strategien
gegen die Umweltzersstörung

Edward M. Kennedy/
Mark O. Hatfield
**Stoppt die
Atomrüstung**

Walter Gloede
Hans-Joachim Nesslinger (Hg.)
Fußballweltmeisterschaft

Jörg R. Mettke (Hg.)
Die Grünen
Regierungspartner von morgen?

Joachim Schöps (Hg.)
Auswandern
Ein deutscher Traum

Peter Glotz/Wolfgang Malanowski
Student heute
Angepaßt? Ausgestiegen?

Klaus Bölling
**Die letzten 30 Tage
des Kanzlers Helmut Schmidt**
Ein Tagebuch

Klaus Umbach (Hg.)
Richard Wagner
Ein deutsches Ärgernis

Renate Merklein
Die Deutschen werden ärmer

Horst Herrmann
Papst Wojtyla
Der Heilige Narr

Heinz Höhne
Die Machtergreifung

Joachim Schöps
**Die SPIEGEL-Affäre
des Franz Josef Strauß**

Jochen Bölsche (Hg.)
Die deutsche Landschaft stirbt
Zerschnitten – Zersiedelt – Zerstö

Christian Habbe (Hg.)
Ausländer
Die verfemten Gäste

Stephan Burgdorff (Hg.)
Wirtschaft im Untergrund

István Futaky (Hg.)
**Ungarn –
ein kommunistisches Wunderland**

Werner Meyer-Larsen (Hg.)
Der Orwell-Staat 1984
Visien und Wirklicheit

H.-P. Dürr, H.-P. Harjes,
M. Kreck, P. Starlinger (Hg.)
Verantwortung für den Frieden
Naturwissenschaftler
gegen Atomrüstung

Oskar Lafontaine
Angst vor den Freunden
Die Atomwaffenstrategie
der Supermächte zerstört
die Bündnisse

SPIEGEL-BUCH